Petits Classiques
LAROUSSE

*Collection fondée par Félix Guirand,
Agrégé des Lettres*

Le Dernier Jour d'un condamné

Claude Gueux

Victor Hugo

Romans

Édition présentée,
annotée et commentée
par Alexandre GEFEN,
agrégé de lettres modernes,
docteur de l'université Paris-IV Sorbonne,
maître de conférences à l'université
Bo[illegible]

ISBN : 978-2-03-583924-4

SOMMAIRE

AVANT D'ABORDER L'ŒUVRE

Fiche d'identité de l'auteur

Victor Hugo

Nom : Victor Marie Hugo.

Naissance : 26 février 1802 à Besançon (Franche-Comté).

Famille : son père, le colonel Léopold Hugo, est militaire de carrière. Sa mère, Sophie Trébuchet, est issue de la bourgeoise vendéenne et séparée du père de Hugo alors que celui-ci avait dix ans.

Enfance : plusieurs voyages à l'étranger en compagnie de ses parents. Études brillantes à Paris, au lycée Louis-le-Grand. Plusieurs récompenses scolaires, dont un prix d'encouragement de l'Académie française.

Début de la carrière et premiers succès : *Irtamène*, tragédie composée à l'âge de quatorze ans. *Bug-Jargal* (1820), roman historique consacré à la révolte des esclaves noirs de Saint-Domingue en 1791. Recueils de poésie de jeunesse récompensés par le roi.

Évolution de la carrière littéraire : drames historiques novateurs *(Cromwell, Hernani)* qui font de Hugo le héros des écrivains romantiques. Romans populaires à succès : *Notre-Dame de Paris*, *Les Misérables*, *Quatrevingt-Treize*. Nombreux recueils de poésie *(Les Contemplations, La Légende des siècles)* abordant des registres variés, de l'épopée à la religion. Engagement politique en faveur de grandes causes (la défense des pauvres, les valeurs républicaines) qui font de l'écrivain un personnage public essentiel de son siècle.

Mort : 22 mai 1885 à Paris. Funérailles nationales et inhumation au Panthéon.

Pour ou contre Victor Hugo ?

Pour

GIDE :

« Hugo est [...] le plus sûr maître de notre syntaxe et des formes de notre langue que la littérature française ait connu. »

Anthologie de la poésie française

HUYSMANS :

« Au dix-neuvième, il a eu de beaux et forts talents, Balzac, Flaubert... Mais seul Hugo a eu du génie. »

La Revue hebdomadaire, 1902

Contre

GIDE :

« Le plus grand poète de langue française ? Victor Hugo, hélas »

L'Ermitage, 1902

Charles PÉGUY :

« Ce génie était pourri de talent. »

Victor Marie comte Hugo

Henri HEINE :

« Tout chez lui est barbarie baroque, dissonance criante et horrible difformité. »

Lutèce

Repères chronologiques

Vie et œuvre de Victor Hugo	*Événements politiques et culturels*
1802 Naissance à Besançon.	**1802** Chateaubriand, *Génie du christianisme.*
1809 Installation à Paris avec sa mère.	**1812** Campagne et retraite de Napoléon en Russie.
1812 Le général Lahorie, son parrain, est exécuté.	**1815** Retour de Napoléon (« Cent-Jours »). Défaite de Waterloo. Seconde Restauration.
1815 Premier cahier de vers.	**1819** Géricault, *Le Radeau de la Méduse*. Walter Scott, *Ivanhoé*.
1819 *Inès de Castro* (mélodrame).	**1822** Condamnation et exécution des quatre sergents de La Rochelle.
1821 Mort de sa mère.	**1827** Mort de Beethoven. Invention de la photographie.
1822 Mariage avec Adèle Foucher.	**1828** Vidocq, *Mémoires*.
1828 Il assiste au ferrage des forçats à Bicêtre. Mort de son père.	**1831** Tableau de Delacroix, *La Liberté guidant le peuple*.
1829 *Les Orientales* (poésie). ***Le Dernier Jour d'un condamné***.	**1833** Loi Guizot sur l'enseignement primaire.
1830 **Bataille d'*Hernani***.	**1834** **Loi de censure pour la presse et restriction de la liberté d'association.**
1831 *Notre-Dame de Paris* (roman historique).	**1837** Balzac, *Illusions perdues*.
1834 *Littérature et philosophie mêlées* (essai), ***Claude Gueux*** **(roman)**.	**1838** Dickens, *Oliver Twist*.
1838 *Ruy Blas* (théâtre).	
1841 Élection à l'Académie française.	
1843 Noyade de sa fille Léopoldine.	

Repères chronologiques

Vie et œuvre de Victor Hugo	*Événements politiques et culturels*
1848 Devant l'Assemblée constituante, Hugo demande l'abolition de la peine de mort.	**1848** Marx et Engels, *Manifeste du Parti communiste*. **Louis Napoléon devient président.**
1851 **Début de la période d'exil.**	**1851** Melville, *Moby Dick*.
1852 Victor Hugo s'installe à Jersey. *Napoléon le Petit*, pamphlet.	**1857** Flaubert, *Madame Bovary*. Baudelaire, *Les Fleurs du mal*.
1853 *Les Châtiments* (poésies).	**1864** Loi qui autorise le droit de grève.
1856 *Les Contemplations* (poésies).	**1866** Théophile Gautier, *Spirite*.
1859 *La Légende des siècles* (poésie).	**1869** Tolstoï, *Guerre et paix*. Flaubert, *L'Éducation sentimentale*. Construction du canal de Suez.
1862 **Grand succès des *Misérables*.**	**1870-1871** **Proclamation de la IIIe République. Guerre contre la Prusse et défaite militaire. Révolte de Paris (la « Commune »), écrasée dans le sang.**
1866 *Les Travailleurs de la mer* (roman).	**1874** Loi interdisant le travail aux moins de douze ans. Première exposition des « impressionnistes ».
1869 *L'Homme qui rit* (roman). Mort de sa fille Adèle.	**1876** Invention du téléphone.
1870 **Retour à Paris durant la Commune.**	**1877** Invention du phonogramme.
1874 *Quatrevingt-Treize*, dernier roman.	**1878** Exposition universelle à Paris.
1876 Hugo élu sénateur de Paris.	**1885** **Jules Grévy est réélu président de la République.**
1877 *L'Art d'être grand-père*, essai.	
1885 **Mort de Victor Hugo.**	

Fiche d'identité de l'œuvre

Le Dernier Jour d'un condamné

Genre : roman.

Forme : récit de fiction à la première personne se présentant comme les mémoires d'un authentique condamné à mort.

Auteur : Victor Hugo, jeune écrivain âgé de 27 ans mais déjà connu du public.

Structure : quarante-neuf brefs chapitres suivis de la reproduction d'une chanson de bagnard. Le roman est précédé, dans sa dernière édition, d'une longue préface contre la peine de mort.

Principaux personnages : le condamné à mort, sa famille et son environnement (juges, prêtres, gardiens, compagnons de cellule).

Sujet : un condamné à mort réfléchit sur sa vie et son sort durant les dernières semaines qui précèdent son exécution. Le lecteur l'accompagne dans ses rêves et ses souvenirs, dans ses peurs et ses derniers espoirs. Il partage avec lui toutes les étapes qui mènent à la guillotine.

Claude Gueux

Genre : roman réaliste.

Forme : récit de fiction à la troisième personne d'après une histoire véridique.

Auteur : Victor Hugo a 32 ans ; il est déjà célèbre pour ses engagements.

Structure : récit très court suivi d'une réflexion de Hugo sur la peine de mort et d'un appel à l'opinion publique.

Principaux personnages : Claude Gueux, voleur de pain, son ami Albin, le directeur de prison.

Sujet : le devenir d'un homme ordinaire et bon, amené à voler pour se nourrir et conduit à tuer à cause de la cruauté du système pénitentiaire.

Pour ou contre Le Dernier Jour d'un condamné ?

Pour

Victor HUGO :

« Se laver les mains est bien, empêcher le sang de couler serait mieux. »

Préface du *Dernier Jour d'un condamné*

DOSTOÏEVSKI :

« [L'œuvre de Hugo] est la plus réelle, la plus criante de vérité de toutes celles qu'il ait jamais écrites. »

La Douce

Jean ROUSSET :

« Le mérite de son livre est d'être "sans modèle". »

Hugo et ses marges, 1985

Contre

Charles NODIER :

« Qu'est-ce, après tout, que ce condamné ? C'est un être abstrait qui se creuse et s'examine en tout sens [...] un être qui ne ressemble à personne, et qui souffre avec tant de science et d'analyse. »

Journal des débats

BALZAC :

« *Le Dernier Jour d'un condamné*, sombre élégie, inutile plaidoyer contre la peine de mort. »

Le Curé de campagne

Pour mieux lire l'œuvre

✣ Au temps de Victor Hugo

Une œuvre révolutionnaire

À la parution en 1829 du *Dernier Jour d'un condamné*, Victor Hugo est un auteur célèbre : ses poésies de jeunesse ont reçu la reconnaissance officielle du roi et il a obtenu en 1825 la Légion d'honneur. Surtout, ses premières œuvres ont fait de lui le chef de file du romantisme en train de naître. Il a renouvelé en 1825 le genre du roman d'aventures avec *Han d'Islande*, inspiré de Walter Scott, la poésie lyrique avec les *Orientales* (1829) et le théâtre avec sa pièce historique, *Cromwell* (1827). Autour de Hugo se rassemble peu à peu un cercle d'amis artistes « romantiques » comme Delacroix, Nerval, Théophile Gautier ou encore Balzac : c'est le « Cénacle ». Ces écrivains partagent les idéaux de Victor Hugo : le goût des passions et des drames, l'intérêt pour la vie intérieure des êtres, la volonté de rompre avec la tradition littéraire du passé. *Le Dernier Jour d'un condamné* manifeste une extraordinaire audace dans le choix des situations (nul n'avait jamais osé avant Hugo imaginer les pensées d'un homme sur le point d'être exécuté), dans la forme romanesque (il n'existe aucun exemple de roman fait de très courts chapitres avant celui de Hugo) et dans la mise en scène (le silence de l'auteur sur le passé du personnage principal). Par ailleurs, Hugo mêle dans le roman deux registres auparavant opposés : le sublime et le grotesque. Cette alliance conduit au mélange des genres de la comédie et de la tragédie que l'on retrouvera dans *Le Dernier Jour d'un condamné* puisque nous y voyons alterner des épisodes comiques (la rencontre avec le « friauche » au chapitre XXIII) et mélodramatiques (la dernière visite de la fille du condamné au chapitre XLIII). Enfin, le roman témoigne de la vérité d'une époque ou d'un milieu sans peur d'étonner ou de choquer son spectateur.

Crimes et prisons dans la société du début du XIXe siècle

Dans sa première jeunesse, Victor Hugo a été proche du pouvoir royal. Mais, en publiant *Le Dernier Jour d'un condamné*, Hugo prend ses distances à l'égard des milieux conservateurs qui défendent à l'époque la sévérité des peines et la peine de mort. En 1832, après la chute de Charles X, il réédite le roman en le signant de son nom et ajoute une préface. Il insiste alors sur la dimension politique du problème au nom de l'héritage des penseurs des Lumières. De plus, il se fait le porte-parole du peuple à un moment d'incertitude politique : il prend position en faveur d'une monarchie constitutionnelle et dénonce les injustices sociales et l'exploitation des enfants qui conduisent au crime. La prison et le personnage du criminel sont devenus des thèmes essentiels depuis la Révolution française car la société a changé : dans les villes sont apparues des « classes dangereuses » de marginaux qui font peur à la société. Dans la littérature populaire, les *Mémoires* de Vidocq, voleur évadé du bagne et devenu policier, ont un énorme succès. Dans les journaux, la question du crime et de son châtiment est un sujet de nombreux reportages et de débats. Pour Hugo, le criminel est à la fois la victime de la société et celui qui la remet en cause. Il analyse la manière dont la pauvreté conduit à la délinquance et dont la prison conduit au désespoir et à la folie et dépeint les prisons à travers un travail de documentation rigoureux.

La peine capitale, une question brûlante

La peine de mort est en 1830 une pratique courante dans toute l'Europe depuis le Moyen Âge pour des crimes « capitaux » comme le meurtre ou pour des motifs religieux. Mais de nombreuses voix « abolitionnistes » se font entendre depuis les réflexions des philosophes des Lumières au XVIIIe siècle, et en particulier, Montesquieu. En 1791, le Code pénal français ordonne ainsi la suppression de la torture mais conserve la peine de mort par décapitation (auparavant, les condamnés étaient pendus). Durant la Révolution française, le roi Louis XVI et de nombreux nobles de l'Ancien Régime seront guillotinés. Durant la Restauration, la peine de mort sera aussi couramment appliquée, par exemple pour l'exécution des quatre sergents de La Rochelle dont le destin est évoqué au chapitre XI du roman. En 1824 sont introduites les « circonstances atténuantes », et les avocats des inculpés essaient alors d'obtenir la condamnation au bagne à perpétuité du condamné au lieu de la mort (c'est ce que fait l'avocat du narrateur du roman au chapitre II du *Dernier Jour d'un condamné*). À cette époque, de nombreuses voix commencent à émerger avec celle de Hugo pour demander l'abolition de ce châtiment, ou du moins, la limitation des condamnations à mort aux crimes les plus graves en excluant les délits religieux et politiques : en 1830, Lamartine compose par exemple une ode intitulée *Contre la peine de mort*.

L'essentiel

Le roman possède une forme très originale et novatrice. Il correspond à l'intérêt des romantiques pour les réalités, parfois terribles, de l'histoire et de la société. Hugo cherche à comprendre la criminalité à une époque où la société débat du rôle des prisons et de la nécessité de peines sévères. Hugo est le premier écrivain français à donner toute sa dimension politique et philosophique à la question de la peine de mort. Il défend, à la suite des philosophes des Lumières, son abolition.

L'œuvre aujourd'hui

La question de la peine de mort au début du XXIe siècle

En apparence, Victor Hugo a enfin triomphé : la peine de mort a été définitivement abolie en France en 1981 par Robert Badinter après l'élection de François Mitterrand à la présidence de la République (la condamnation à mort pour motifs politiques avait été supprimée au début de la révolution de 1848). Mais, d'une part, les sondages prouvent qu'une partie importante des Français se déclarent encore favorables à cette peine pour certains crimes. Et, d'autre part, le réquisitoire abolitionniste fait par l'auteur du *Dernier Jour d'un condamné* conserve son actualité dans de nombreux pays du monde où ce châtiment est encore en vigueur. Si l'ensemble des pays de l'Union européenne ont pris le même chemin que la France en interdisant définitivement la peine capitale, à la Commission des droits de l'homme des Nations unies, une soixantaine de pays, comme la Chine ou l'Arabie saoudite, s'opposent encore aujourd'hui à toute décision qui interdirait mondialement le recours à la condamnation à mort. Aux États-Unis par exemple, trente-huit États américains pratiquent encore la peine capitale (en général sous la forme, présentée comme moins barbare, d'une injection indolore de poison), et plusieurs centaines de condamnés sont exécutés chaque année, malgré de nombreuses protestations issues du monde entier et le combat de nombreux artistes, intellectuels ou hommes politiques.

La prison : un enfer partout dans le monde

Chaque année le rapport de l'Organisation internationale de défense des droits des condamnés *Amnesty international* fait la liste des avancées (ou parfois des reculs) en direction de la disparition finale de la peine de mort dans tous les pays du monde. Cette organisation indépendante dénonce aussi les conditions d'incarcération et de jugement des prisonniers partout dans le monde et même parfois en France. Ainsi, la dénonciation faite par Victor Hugo des lacunes de la justice et des procès expéditifs n'a pas pris une ride. C'est aussi malheureusement vrai pour l'analyse faite par le roman des conditions de vie des prisonniers et des conséquences psychologiques de l'enfermement : elle est très générale et reste valable en tout lieu et pour toute époque, y compris pour les sociétés démocratiques modernes. Car la lutte menée par le roman pour le droit à un procès équitable et à des conditions d'emprisonnement décentes s'oppose à la tentation d'emprisonner à perpétuité les criminels les plus dangereux ou d'oublier que tout séjour en prison est destiné à permettre une future réinsertion. Le bagne et la guillotine ont disparu ; les peines de sûreté les ont remplacés (long temps d'incarcération sans remise de peine possible) ; mais la surpopulation et les suicides en prison sont les dures réalités actuelles de l'univers carcéral. Les condamnés d'aujourd'hui peuvent encore être compris grâce au reportage intérieur de Hugo et nombreux sont donc les écrivains et les cinéastes qui doivent aujourd'hui prendre la suite de Victor Hugo.

Pour mieux lire l'œuvre

Une forme littéraire originale et moderne

Lire aujourd'hui *Le Dernier Jour d'un condamné*, c'est aussi découvrir un exemple exceptionnellement fort de littérature « engagée », c'est-à-dire un exemple de roman cherchant à se confronter à un problème réel et grave et à réfléchir sur les débats politiques et sociaux de son temps. Mais parce qu'il est avant tout romancier, Hugo préfère à un essai sur la peine de mort ou à un traité de philosophie politique la mise en scène concrète du problème. Il laisse au lecteur la liberté de tirer ses propres conclusions (même si, dans la préface de 1832, Hugo prend lui-même la parole). Pour cela, Hugo fait des choix étonnants : il écrit un récit réaliste et sobre et refuse la dramatisation et l'exagération. Il met en scène les prisonniers plutôt que des héros romanesques. Il nous fait entendre l'argot des cachots et nous montre des documents bruts, il ne se perd pas dans une argumentation abstraite. Le génie de Hugo est enfin de s'intéresser non pas à un condamné célèbre mais à un anonyme. Nous ignorons tout des raisons qui ont conduit le narrateur en prison, ce qui nous permet de concentrer notre attention sur l'expérience même de l'emprisonnement et de l'imminence de l'exécution. Hugo dépeint les idées qui traversent l'esprit du narrateur, mais aussi ses impressions physiques, ses souvenirs, ses cauchemars. Il dissimule ainsi habilement la construction du récit qui nous permet de découvrir tour à tour les différentes facettes du sort d'un condamné à mort et qui nous conduit à un rythme de plus en plus rapide jusqu'à l'échafaud.

L'essentiel

Malgré Hugo et tous ceux qui ont pris sa suite, dans de très nombreux pays, la peine de mort est encore une punition ordinaire à notre époque. Même dans les sociétés démocratiques occidentales, la prison reste un problème important. Le roman nous aide à y réfléchir. Sur le plan littéraire, le récit de Hugo est moderne parce qu'il nous projette à l'intérieur du corps et de l'esprit du condamné et nous fait vivre sa tragédie de l'intérieur.

Le Dernier Jour d'un condamné

Victor **Hugo**

Roman édité pour la première fois en 1829

Préface de 1832

Il n'y avait en tête des premières éditions de cet ouvrage, publié d'abord sans nom d'auteur, que les quelques lignes qu'on va lire :

« Il y a deux manières de se rendre compte de l'existence de ce livre. Ou il y a eu, en effet, une liasse de papiers jaunes et inégaux sur lesquels on a trouvé, enregistrées une à une, les dernières pensées d'un misérable ; ou il s'est rencontré un homme, un rêveur occupé à observer la nature au profit de l'art, un philosophe, un poète, que sais-je ? dont cette idée a été la fantaisie, qui l'a prise ou plutôt s'est laissé prendre par elle, et n'a pu s'en débarrasser qu'en la jetant dans un livre.

« De ces deux explications, le lecteur choisira celle qu'il voudra. »

Comme on le voit, à l'époque où ce livre fut publié[1], l'auteur ne jugea pas à propos de dire dès lors toute sa pensée. Il aima mieux attendre qu'elle fût comprise et voir si elle le serait. Elle l'a été. L'auteur aujourd'hui peut démasquer l'idée politique, l'idée sociale, qu'il avait voulu populariser sous cette innocente et candide[2] forme littéraire. Il déclare donc, ou plutôt il avoue hautement que *Le Dernier Jour d'un condamné* n'est autre chose qu'un plaidoyer[3], direct ou indirect, comme on voudra, pour l'abolition de la peine de mort. Ce qu'il a eu dessein de faire, ce qu'il voudrait que la postérité vît dans son œuvre, si jamais elle s'occupe de si peu, ce n'est pas la défense spéciale, et toujours facile, et toujours transitoire, de tel ou tel criminel choisi, de tel ou tel accusé d'élection[4] ; c'est la plaidoirie générale et permanente pour tous les accusés présents et à venir ; c'est le grand point de droit de l'humanité allégué et plaidé à toute voix devant la société, qui est la grande Cour de cassation[5] ; c'est cette suprême fin de non-recevoir[6], *abhorrescere a sanguine*[7], construite à tout jamais en avant de tous les procès criminels ; c'est

1. **À l'époque [...] publié :** en février 1829.
2. **Candide :** sans arrière-pensée, naïf.
3. **Plaidoyer :** discours destiné à défendre une cause.
4. **Tel ou tel accusé d'élection :** comprendre « tel ou tel accusé particulier ».
5. **Cour de cassation :** tribunal de dernier recours.
6. **Fin de non-recevoir :** refus définitif.
7. ***Abhorrescere a sanguine :*** « avoir horreur du sang ».

la sombre et fatale question qui palpite obscurément au fond de toutes les causes capitales sous les triples épaisseurs de pathos[1] dont
30 l'enveloppe la rhétorique sanglante des gens du roi ; c'est la question de vie et de mort, dis-je, déshabillée, dénudée, dépouillée des entortillages sonores du parquet[2], brutalement mise au jour, et posée où il faut qu'on la voie, où il faut qu'elle soit, où elle est réellement, dans son vrai milieu, dans son milieu horrible, non au tribunal, mais à
35 l'échafaud, non chez le juge, mais chez le bourreau.

Voilà ce qu'il a voulu faire. Si l'avenir lui décernait un jour la gloire de l'avoir fait, ce qu'il n'ose espérer, il ne voudrait pas d'autre couronne.

Il le déclare donc, et il le répète, il occupe, au nom de tous les accusés possibles, innocents ou coupables, devant toutes les cours,
40 tous les prétoires[3], tous les jurys, toutes les justices. Ce livre est adressé à quiconque juge. Et pour que le plaidoyer soit aussi vaste que la cause, il a dû, et c'est pour cela que *Le Dernier Jour d'un condamné* est ainsi fait, élaguer[4] de toutes parts dans son sujet le contingent[5], l'accident, le particulier, le spécial, le relatif, le modi-
45 fiable, l'épisode, l'anecdote, l'événement, le nom propre, et se borner (si c'est là se borner) à plaider la cause d'un condamné quelconque, exécuté un jour quelconque, pour un crime quelconque. Heureux si, sans autre outil que sa pensée, il a fouillé assez avant pour faire saigner un cœur sous *l'œs triplex*[6] du magistrat ! heureux s'il a rendu
50 pitoyables[7] ceux qui se croient justes ! heureux si, à force de creuser dans le juge, il a réussi quelquefois à y retrouver un homme !

Il y a trois ans, quand ce livre parut, quelques personnes imaginèrent que cela valait la peine d'en contester l'idée à l'auteur. Les uns supposèrent un livre anglais[8], les autres un livre américain. Singulière

1. **Pathos :** émotion pathétique, qui provoque les larmes.
2. **Les entortillages sonores du parquet :** comprendre « les complications bruyantes des magistrats ».
3. **Prétoires :** salles d'audience du tribunal.
4. **Élaguer :** simplifier en enlevant les éléments non nécessaires.
5. **Contingent :** variable.
6. ***Œs triplex :*** la triple armure.
7. **Pitoyables :** qui provoquent la pitié.
8. **Les uns supposèrent un livre anglais :** on accusa Victor Hugo de s'être inspiré de plusieurs témoignages réels de condamnés dont un récit paru en Angleterre.

55 manie de chercher à mille lieues les origines des choses, et de faire couler des sources du Nil le ruisseau qui lave votre rue ! Hélas ! il n'y a en ceci ni livre anglais, ni livre américain, ni livre chinois. L'auteur a pris l'idée du *Dernier Jour d'un condamné*, non dans un livre, il n'a pas l'habitude d'aller chercher ses idées si loin, mais là où vous pouviez 60 tous la prendre, où vous l'aviez prise peut-être (car qui n'a fait ou rêvé dans son esprit *Le Dernier Jour d'un condamné* ?), tout bonnement sur la place publique, sur la place de Grève[1]. C'est là qu'un jour en passant il a ramassé cette idée fatale, gisante dans une mare de sang sous les rouges moignons[2] de la guillotine.

65 Depuis, chaque fois qu'au gré des funèbres jeudis[3] de la cour de cassation, il arrivait un de ces jours où le cri d'un arrêt de mort se fait dans Paris, chaque fois que l'auteur entendait passer sous ses fenêtres ces hurlements enroués qui ameutent des spectateurs pour la Grève, chaque fois, la douloureuse idée lui revenait, s'emparait de 70 lui, lui emplissait la tête de gendarmes, de bourreaux et de foule, lui expliquait heure par heure les dernières souffrances du misérable agonisant, – en ce moment on le confesse, en ce moment on lui coupe les cheveux, en ce moment on lui lie les mains, – le sommait[4], lui pauvre poète, de dire tout cela à la société, qui fait ses affaires 75 pendant que cette chose monstrueuse s'accomplit, le pressait, le poussait, le secouait, lui arrachait ses vers de l'esprit, s'il était en train d'en faire, et les tuait à peine ébauchés, barrait tous ses travaux, se mettait en travers de tout, l'investissait[5], l'obsédait, l'assiégeait. C'était un supplice, un supplice qui commençait avec le jour, 80 et qui durait, comme celui du misérable qu'on torturait au même moment, jusqu'à *quatre heures*. Alors seulement, une fois le *ponens caput expiravit*[6] crié par la voix sinistre de l'horloge, l'auteur respirait et retrouvait quelque liberté d'esprit. Un jour enfin, c'était, à ce qu'il

---

1. **Place de Grève :** place située devant l'Hôtel de Ville de Paris où les condamnés à mort étaient exécutés.
2. **Moignons :** ce qui reste d'un membre amputé.
3. **Funèbres jeudis :** la Cour de justice se réunissait pour prendre ses décisions les jeudis.
4. **Le sommait :** lui ordonnait.
5. **L'investissait :** s'emparait de lui.
6. ***Ponens caput expiravit :*** « posant la tête [Jésus] expira » ; citation de la Bible qui rapproche la mort du condamné de celle du Christ.

croit, le lendemain de l'exécution d'Ulbach[1], il se mit à écrire ce livre.
85 Depuis lors il a été soulagé. Quand un de ces crimes publics, qu'on nomme exécutions judiciaires, a été commis, sa conscience lui a dit qu'il n'en était plus solidaire ; et il n'a plus senti à son front cette goutte de sang qui rejaillit de la Grève sur la tête de tous les membres de la communauté sociale.

90 Toutefois, cela ne suffit pas. Se laver les mains est bien, empêcher le sang de couler serait mieux.

Aussi ne connaîtrait-il pas de but plus élevé, plus saint, plus auguste[2] que celui-là : concourir à l'abolition de la peine de mort. Aussi est-ce du fond du cœur qu'il adhère[3] aux vœux et aux 95 efforts des hommes généreux de toutes les nations qui travaillent depuis plusieurs années à jeter bas l'arbre patibulaire[4], le seul arbre que les révolutions ne déracinent pas. C'est avec joie qu'il vient à son tour, lui chétif, donner son coup de cognée[5], et élargir de son mieux l'entaille que Beccaria[6] a faite, il y a soixante-six ans, au 100 vieux gibet[7] dressé depuis tant de siècles sur la chrétienté.

Nous venons de dire que l'échafaud est le seul édifice que les révolutions ne démolissent pas. Il est rare, en effet, que les révolutions soient sobres de sang humain, et, venues qu'elles sont pour émonder, pour ébrancher, pour étêter[8] la société, la peine de mort 105 est une des serpes[9] dont elles se dessaisissent[10] le plus malaisément.

---

1. **Ulbach :** meurtrier condamné à mort et exécuté le 10 septembre 1827. Hugo a peut-être assisté aux préparatifs de son exécution un an avant la rédaction de son roman et non, comme il l'écrit, la veille de commencer à écrire *Le Dernier Jour d'un condamné.*
2. **Auguste :** digne et vénérable.
3. **Adhère :** s'accorde avec.
4. **Arbre patibulaire :** le gibet et, par extension, la guillotine.
5. **Cognée :** hache.
6. **Beccaria :** philosophe italien du XVIIIe siècle ayant lutté contre la cruauté des peines.
7. **Gibet :** potence où étaient attachés les condamnés.
8. **Étêter :** couper la tête d'un arbre, d'une branche, etc.
9. **Serpes :** sortes de grands couteaux.
10. **Se dessaisissent :** se débarrassent.

Clefs d'analyse

Préface de 1832
(l. 1 à 105, p. 18 à 21)

Action et personnages

1. Dans quelle situation se trouve Hugo lorsqu'il entame son discours ? Par quoi celui-ci commence-t-il ?
2. Avec quel ton s'adresse-t-il à ses lecteurs ? De quoi cherche-t-il à les convaincre ?
3. Quels arguments Hugo propose-t-il pour justifier l'écriture de son roman ? Faites la liste des critiques contre lesquelles Hugo doit se défendre.

Langue

4. « Il y a deux manières de se rendre compte de l'existence de ce livre » (lignes 3-4) : que veut dire « rendre compte » ? Expliquez les deux « manières » possibles. À quel choix Hugo nous invite-t-il ?
5. « L'auteur ne jugea pas à propos de dire dès lors toute sa pensé » (lignes 11-12) : que veut dire ici Hugo ? Quelle est « la pensée » de l'auteur ?
6. « Ce livre est adressé à quiconque juge » (lignes 40-41) : expliquez cette expression. Qui peut, selon Hugo, juger de la nécessité ou de l'inutilité de la peine de mort ?
7. Relevez les adjectifs les plus significatifs du passage. À quoi servent-ils selon vous ?
8. À quoi se réfère la « couronne » évoquée par Hugo (ligne 37) ?

Genre ou thèmes

9. « Se laver les mains est bien, empêcher le sang de couler serait mieux » (lignes 90-91) : d'où vient l'expression « se laver les mains » employée ici pour évoquer un crime ? Quelle comparaison produit-elle ?
10. « Il ne voudrait pas d'autre couronne » : que veut dire ici le mot « couronne » (ligne 37) ? À quoi sert, selon Hugo, d'écrire ?

Écriture

11. Vous imaginerez la réponse faite à Victor Hugo par un partisan de la peine de mort en adoptant un ton similaire.

Pour aller plus loin

12. « Un plaidoyer, direct ou indirect » (ligne 18) : donnez un exemple de « plaidoyer direct » et un autre de « plaidoyer » indirect. Quel est le plus efficace ? Quelle solution choisit Hugo ?
13. « Plaider la cause d'un condamné quelconque, exécuté un jour quelconque, pour un crime quelconque » (lignes 46-47) : pourquoi, à votre avis, Hugo insiste sur l'anonymat de son personnage et l'absence de détails de son récit ? Pourquoi un tel choix est-il étonnant ?
14. Pourquoi, à votre avis, Victor Hugo s'est-il engagé avec autant d'énergie dans son combat contre la peine de mort ? Donnez quelques explications.
15. Connaissez-vous d'autres textes littéraires qui ressemblent au plaidoyer hugolien ? Citez des exemples d'œuvres ou des passages ayant la même force de conviction.

✻ *À retenir*

Une préface possède un rôle essentiel dans une œuvre : elle propose une explication du projet d'un livre, en donne les motifs, en raconte les origines. Souvent, aussi, elle oriente et programme la lecture que nous allons faire de l'œuvre. La préface de 1832 au *Dernier Jour d'un condamné* a été ajouté à la réédition de l'œuvre et vise à en justifier le sens et la forme face aux interrogations et aux critiques que Hugo a rencontrées.

Nous l'avouerons cependant, si jamais révolution nous parut digne et capable d'abolir la peine de mort, c'est la révolution de Juillet[1]. Il semble, en effet, qu'il appartenait au mouvement populaire le plus clément des temps modernes[2] de raturer la pénalité 110 barbare de Louis XI[3], de Richelieu[4] et de Robespierre[5], et d'inscrire au front de la loi l'inviolabilité de la vie humaine. 1830 méritait de briser le couperet de 93[6].

Nous l'avons espéré un moment. En août 1830, il y avait tant de générosité et de pitié dans l'air, un tel esprit de douceur et de civili- 115 sation flottait dans les masses, on se sentait le cœur si bien épanoui par l'approche d'un bel avenir, qu'il nous sembla que la peine de mort était abolie de droit, d'emblée, d'un consentement tacite[7] et unanime, comme le reste des choses mauvaises qui nous avaient gênés. Le peuple venait de faire un feu de joie des guenilles[8] de 120 l'Ancien Régime[9]. Celle-là était la guenille sanglante. Nous la crûmes dans le tas. Nous la crûmes brûlée comme les autres. Et pendant quelques semaines, confiant et crédule, nous eûmes foi pour l'avenir à l'inviolabilité de la vie comme à l'inviolabilité de la liberté.

Et en effet deux mois s'étaient à peine écoulés qu'une tentative 125 fut faite pour résoudre[10] en réalité légale l'utopie sublime de César Bonesana[11].

---

1. **Révolution de Juillet :** révolution de juillet 1830, qui conduisit à la monarchie de Juillet et au règne de Louis-Philippe.
2. **Le mouvement populaire [...] temps modernes :** pour Victor Hugo, la révolution de 1830 a été une révolution moins violente que les autres.
3. **Louis XI :** roi de France de 1461 à 1483, réputé pour sa cruauté.
4. **Richelieu :** ministre de Louis XIII qui entreprit l'instauration d'une monarchie absolue.
5. **Robespierre :** député jacobin durant la Révolution française qui joua un rôle important dans la répression et les exécutions des années 1792-1794 (période nommée « la Terreur »).
6. **93 :** 1793. L'époque est le sujet du dernier roman historique de Hugo, *Quatrevingt-Treize*, publié en 1874.
7. **Consentement tacite :** accord sous-entendu.
8. **Guenilles :** chiffons.
9. **Ancien Régime :** époque du pouvoir royal en France.
10. **Résoudre :** transformer.
11. **César Bonesana :** autre nom de Beccaria (voir note 6, p. 21).

Malheureusement, cette tentative fut gauche, maladroite, presque hypocrite, et faite dans un autre intérêt que l'intérêt général.

Au mois d'octobre 1830, on se le rappelle, quelques jours après 130 avoir écarté par l'ordre du jour la proposition d'ensevelir Napoléon sous la colonne[1], la Chambre[2] tout entière se mit à pleurer et à bramer[3]. La question de la peine de mort fut mise sur le tapis, nous allons dire quelques lignes plus bas à quelle occasion ; et alors il sembla que toutes ces entrailles de législateurs étaient prises 135 d'une subite et merveilleuse miséricorde. Ce fut à qui parlerait, à qui gémirait, à qui lèverait les mains au ciel. La peine de mort, grand Dieu ! quelle horreur ! Tel vieux procureur général[4], blanchi dans la robe rouge, qui avait mangé toute sa vie le pain trempé de sang des réquisitoires[5], se composa tout à coup un air piteux et 140 attesta les dieux[6] qu'il était indigné de la guillotine. Pendant deux jours la tribune ne désemplit pas de harangueurs[7] en pleureuses. Ce fut une lamentation, une myriologie[8], un concert de psaumes lugubres, un *Super flumina Babylonis*[9], un *Stabat mater dolorosa*[10], une grande symphonie en ut[11], avec chœurs, exécutée par tout cet 145 orchestre d'orateurs qui garnit les premiers bancs de la Chambre, et rend de si beaux sons dans les grands jours. Tel vint avec sa basse[12], tel avec son fausset[13]. Rien n'y manqua. La chose fut on ne peut plus pathétique et pitoyable. La séance de nuit surtout fut tendre, paterne[14] et déchirante comme un cinquième acte de

---

1. **La colonne :** la colonne Vendôme à Paris, monument à la gloire de Napoléon Bonaparte.
2. **La Chambre :** l'Assemblée nationale.
3. **Bramer :** crier, en parlant du daim ou du cerf.
4. **Procureur général :** magistrat chargé de l'accusation.
5. **Réquisitoires :** discours où le procureur général énumère les fautes de l'accusé.
6. **Attesta les dieux :** prit les dieux pour témoins.
7. **Harangueurs :** orateurs qui prononcent des discours solennels.
8. **Myriologie :** coutume funèbre de la Grèce antique.
9. ***Super flumina Babylonis :*** passage de la Bible consacré aux souffrances du peuple juif.
10. ***Stabat mater dolorosa :*** poème religieux latin décrivant Marie au pied de la croix.
11. **Symphonie en ut :** œuvre musicale à tonalité solennelle.
12. **Basse :** voix grave.
13. **Fausset :** voix très aiguë.
14. **Paterne :** douce et bienveillante.

150 Lachaussée[1]. Le bon public, qui n'y comprenait rien, avait les larmes aux yeux.

De quoi s'agissait-il donc ? d'abolir la peine de mort ?

Oui et non.

Voici le fait :

155 Quatre hommes du monde, quatre hommes comme il faut, de ces hommes qu'on a pu rencontrer dans un salon, et avec qui peut-être on a échangé quelques paroles polies ; quatre de ces hommes, dis-je, avaient tenté, dans les hautes régions politiques, un de ces coups hardis que Bacon[2] appelle *crimes*, et que Machiavel[3] appelle 160 *entreprises*. Or, crime ou entreprise, la loi, brutale pour tous, punit cela de mort. Et les quatre malheureux étaient là, prisonniers, captifs de la loi, gardés par trois cents cocardes tricolores[4] sous les belles ogives de Vincennes[5]. Que faire et comment faire ? Vous comprenez qu'il est impossible d'envoyer à la Grève[6], dans une 165 charrette, ignoblement liés avec de grosses cordes, dos à dos avec ce fonctionnaire qu'il ne faut pas seulement nommer, quatre hommes comme vous et moi, quatre *hommes du monde* ? Encore s'il y avait une guillotine en acajou[7] !

Hé ! il n'y a qu'à abolir la peine de mort !

170 Et là-dessus, la Chambre se met en besogne[8].

Remarquez, messieurs, qu'hier encore vous traitiez cette abolition d'utopie, de théorie, de rêve, de folie, de poésie. Remarquez que ce n'est pas la première fois qu'on cherche à appeler votre attention sur la charrette, sur les grosses cordes et sur l'horrible 175 machine écarlate[9], et qu'il est étrange que ce hideux attirail vous saute ainsi aux yeux tout à coup.

---

1. **Lachaussée :** auteur de pièces de théâtre pathétiques.
2. **Bacon :** philosophe anglais (1561-1626).
3. **Machiavel :** homme d'État et philosophe de la Renaissance.
4. **Trois cents cocardes tricolores :** comprendre « trois cents soldats français ».
5. **Les belles ogives de Vincennes :** allusion à l'emprisonnement par les insurgés de la révolution de 1830 des quatre ministres de Charles X au château de Vincennes, près de Paris.
6. **La Grève :** la place de Grève (voir note 1, page 20).
7. **Acajou :** ce bois est le symbole de la richesse.
8. **En besogne :** au travail.
9. **Écarlate :** couleur rouge sang.

Bah ! c'est bien de cela qu'il s'agit ! Ce n'est pas à cause de vous, peuple, que nous abolissons la peine de mort, mais à cause de nous, députés qui pouvons être ministres. Nous ne voulons pas 180 que la mécanique de Guillotin[1] morde les hautes classes. Nous la brisons. Tant mieux si cela arrange tout le monde, mais nous n'avons songé qu'à nous. Ucalégon brûle[2]. Éteignons le feu. Vite, supprimons le bourreau, biffons[3] le code.

Et c'est ainsi qu'un alliage d'égoïsme altère et dénature les plus 185 belles combinaisons sociales. C'est la veine noire dans le marbre blanc ; elle circule partout, et apparaît à tout moment à l'improviste sous le ciseau[4]. Votre statue est à refaire.

Certes, il n'est pas besoin que nous le déclarions ici, nous ne sommes pas de ceux qui réclamaient les têtes des quatre ministres[5]. 190 Une fois ces infortunés arrêtés, la colère indignée que nous avait inspirée leur attentat s'est changée, chez nous comme chez tout le monde, en une profonde pitié. Nous avons songé aux préjugés d'éducation de quelques-uns d'entre eux, au cerveau peu développé de leur chef[6], relaps[7] fanatique et obstiné des conspirations 195 de 1804, blanchi avant l'âge[8] sous l'ombre humide des prisons d'État, aux nécessités fatales de leur position commune, à l'impossibilité d'enrayer sur cette pente rapide où la monarchie s'était lancée elle-même à toute bride[9] le 8 août 1829[10], à l'influence trop peu calculée par nous jusqu'alors de la personne royale, surtout 200 à la dignité que l'un d'entre eux répandait comme un manteau

---

1. **Guillotin :** médecin français (1738-1814) inventeur de la guillotine.
2. **Ucalégon brûle :** selon le poète latin Virgile, c'est par l'embrasement de la maison de ce personnage que commence l'incendie de la ville de Troie.
3. **Biffons :** du verbe *biffer*, « rayer, effacer par rature ».
4. **Ciseau :** instrument utilisé par le sculpteur.
5. **Les quatre ministres :** Polignac, Peyronnet, Chantelauze et Guernon de Ranville, ministres de Charles X qui furent emprisonnés durant la révolution de 1830 pour avoir tenté de restaurer un régime autoritaire.
6. **Leur chef :** le prince Polignac.
7. **Relaps :** retombé dans le mal.
8. **Blanchi avant l'âge :** ayant vieilli trop tôt.
9. **À toute bride :** à toute allure.
10. **Le 8 août 1829 :** date de la nomination de Polignac et du virage autoritaire et conservateur du régime de Charles X.

de pourpre[1] sur leur malheur. Nous sommes de ceux qui leur souhaitaient bien sincèrement la vie sauve, et qui étaient prêts à se dévouer pour cela. Si jamais, par impossible, leur échafaud eût été dressé un jour en Grève, nous ne doutons pas, et si c'est une illusion nous voulons la conserver, nous ne doutons pas qu'il n'y eût eu une émeute pour le renverser, et celui qui écrit ces lignes eût été de cette sainte émeute[2]. Car, il faut bien le dire aussi, dans les crises sociales, de tous les échafauds, l'échafaud politique est le plus abominable, le plus funeste, le plus vénéneux, le plus nécessaire à extirper[3]. Cette espèce de guillotine-là prend racine dans le pavé, et en peu de temps repousse de bouture[4] sur tous les points du sol.

En temps de révolution, prenez garde à la première tête qui tombe. Elle met le peuple en appétit.

Nous étions donc personnellement d'accord avec ceux qui voulaient épargner les quatre ministres, et d'accord de toutes manières, par les raisons sentimentales comme par les raisons politiques. Seulement, nous eussions mieux aimé que la Chambre choisît une autre occasion pour proposer l'abolition de la peine de mort.

Si on l'avait proposée, cette souhaitable abolition, non à propos de quatre ministres tombés des Tuileries[5] à Vincennes, mais à propos du premier voleur de grands chemins venu, à propos d'un de ces misérables que vous regardez à peine quand ils passent près de vous dans la rue, auxquels vous ne parlez pas, dont vous évitez instinctivement le coudoiement poudreux[6] ; malheureux dont l'enfance déguenillée[7] a couru pieds nus dans la boue des carrefours, grelottant l'hiver au rebord des quais, se chauffant au soupirail des cuisines de M. Véfour[8] chez qui vous dînez, déterrant çà et là une

1. **Manteau de pourpre :** vêtement rouge vif qui symbolise le pouvoir.
2. **Eût été de cette sainte émeute :** comprendre « aurait participé à cette juste émeute ».
3. **Extirper :** arracher.
4. **Repousse de bouture :** repousse comme une plante replantée.
5. **Tombés des Tuileries :** le palais des Tuileries était à l'époque le siège du pouvoir.
6. **Le coudoiement poudreux :** comprendre « la fréquentation des pauvres ».
7. **Déguenillée :** vêtue de vêtements misérables.
8. **M. Véfour :** propriétaire du plus grand restaurant parisien.

croûte de pain dans un tas d'ordures et l'essuyant avant de la manger, grattant tout le jour le ruisseau avec un clou pour y trouver un liard[1], n'ayant d'autre amusement que le spectacle gratis de la fête du roi et les exécutions en Grève, cet autre spectacle gratis ; pauvres diables, que la faim pousse au vol, et le vol au reste ; enfants déshérités d'une société marâtre[2], que la maison de force[3] prend à douze ans, le bagne à dix-huit, l'échafaud à quarante ; infortunés qu'avec une école et un atelier vous auriez pu rendre bons, moraux, utiles, et dont vous ne savez que faire, les versant, comme un fardeau[4] inutile, tantôt dans la rouge fourmilière de Toulon[5], tantôt dans le muet enclos de Clamart[6], leur retranchant la vie après leur avoir volé la liberté ; si c'eût été à propos d'un de ces hommes que vous eussiez proposé d'abolir la peine de mort, oh ! alors, votre séance eût été vraiment digne, grande, sainte, majestueuse, vénérable. Depuis les augustes pères de Trente[7] invitant les hérétiques au concile au nom des entrailles de Dieu[8], *per viscera Dei*[9], parce qu'on espère leur conversion, *quoniam sancta synodus sperat hæreticorum conversionem*[10], jamais assemblée d'hommes n'aurait présenté au monde spectacle plus sublime, plus illustre et plus miséricordieux. Il a toujours appartenu à ceux qui sont vraiment forts et vraiment grands d'avoir souci du faible et

1. **Un liard :** le quart d'un sou, soit une très faible somme.
2. **Marâtre :** mauvaise mère.
3. **Maison de force :** maison de redressement où les plus jeunes délinquants étaient enfermés.
4. **Fardeau :** poids à porter.
5. **La rouge fourmilière de Toulon :** le bagne de Toulon.
6. **Le muet enclos de Clamart :** le cimetière de Clamart, où étaient enterrés les condamnés à mort.
7. **Augustes pères de Trente :** cardinaux du concile de Trente (1545-1563) à l'origine de la Contre-Réforme, mouvement religieux catholique visant à s'opposer au protestantisme.
8. **Invitant les hérétiques au concile [...] entrailles de Dieu :** comprendre « invitant les protestants à venir se réconcilier avec les catholiques au nom de l'amour de Dieu ».
9. ***Per viscera dei :*** « au nom des entrailles de dieu » (expression religieuse latine).
10. ***Quoniam sancta [...] conversionem :*** suite de la traduction de la formule précédente « parce que l'on espère leur conversion ».

250 du petit. Un conseil de brahmines[1] serait beau prenant en main la cause[2] du paria[3]. Et ici, la cause du paria, c'était la cause du peuple. En abolissant la peine de mort, à cause de lui et sans attendre que vous fussiez intéressés dans la question, vous faisiez plus qu'une œuvre politique, vous faisiez une œuvre sociale.

255 Tandis que vous n'avez pas même fait une œuvre politique en essayant de l'abolir, non pour l'abolir, mais pour sauver quatre malheureux ministres pris la main dans le sac des coups d'État !

Qu'est-il arrivé ? c'est que, comme vous n'étiez pas sincères, on a été défiant[4]. Quand le peuple a vu qu'on voulait lui donner le 260 change[5], il s'est fâché contre toute la question en masse[6], et, chose remarquable ! il a pris fait et cause pour cette peine de mort dont il supporte pourtant tout le poids. C'est votre maladresse qui l'a amené là. En abordant la question de biais et sans franchise, vous l'avez compromise[7] pour longtemps. Vous jouiez une comédie. On 265 l'a sifflée.

Cette farce pourtant, quelques esprits avaient eu la bonté de la prendre au sérieux. Immédiatement après la fameuse séance, ordre avait été donné aux procureurs généraux, par un garde des Sceaux[8] honnête homme, de suspendre indéfiniment toutes 270 exécutions capitales. C'était en apparence un grand pas. Les adversaires de la peine de mort respirèrent. Mais leur illusion fut de courte durée.

Le procès des ministres fut mené à sa fin. Je ne sais quel arrêt fut rendu. Les quatre vies furent épargnées. Ham[9] fut choisi comme 275 juste milieu entre la mort et la liberté. Ces divers arrangements

---

1. **Brahmines :** ou « brahmanes » ; membres de la plus haute caste (classe sociale) hindoue.
2. **La cause :** la défense.
3. **Paria :** nom donné en Inde aux personnes hors castes et repoussées hors de la société.
4. **On a été défiant :** on a été méfiant.
5. **Lui donner le change :** lui mentir.
6. **S'est fâché [...] en masse :** s'est tout entier fâché.
7. **Compromise :** rendue difficile à défendre.
8. **Garde des Sceaux :** ministre de la Justice.
9. **Ham :** ville de la Somme où furent emprisonnés les « quatre ministres » avant d'être transférés à la prison de Vincennes (voir note 5, page 27).

une fois faits, toute peur s'évanouit dans l'esprit des hommes d'État dirigeants, et, avec la peur, l'humanité s'en alla. Il ne fut plus question d'abolir le supplice capital ; et une fois qu'on n'eut plus besoin d'elle, l'utopie redevint utopie, la théorie, théorie, la poésie, poésie.

280 Il y avait pourtant toujours dans les prisons quelques malheureux condamnés vulgaires[1] qui se promenaient dans les préaux[2] depuis cinq ou six mois, respirant l'air, tranquilles désormais, sûrs de vivre, prenant leur sursis pour leur grâce. Mais attendez.

Le bourreau, à vrai dire, avait eu grand'peur[3]. Le jour où il avait 285 entendu les faiseurs de lois parler humanité, philanthropie[4], progrès, il s'était cru perdu. Il s'était caché, le misérable, il s'était blotti sous sa guillotine, mal à l'aise au soleil de juillet comme un oiseau de nuit en plein jour, tâchant de se faire oublier, se bouchant les oreilles et n'osant souffler. On ne le voyait plus depuis six mois. 290 Il ne donnait plus signe de vie. Peu à peu cependant il s'était rassuré dans ses ténèbres. Il avait écouté du côté des Chambres et n'avait plus entendu prononcer son nom. Plus de ces grands mots sonores dont il avait eu si grande frayeur. Plus de commentaires déclamatoires du *Traité des délits et des peines*[5]. On s'occupait de 295 toute autre chose, de quelque grave intérêt social, d'un chemin vicinal[6], d'une subvention pour l'Opéra-Comique, ou d'une saignée[7] de cent mille francs sur un budget apoplectique[8] de quinze cents millions. Personne ne songeait plus à lui, coupe-tête. Ce que voyant, l'homme se tranquillise, il met sa tête hors de son trou, et 300 regarde de tous côtés ; il fait un pas, puis deux, comme je ne sais plus quelle souris de La Fontaine[9], puis il se hasarde à sortir tout à fait de dessous son échafaudage, puis il saute dessus, le raccommode,

---

1. **Vulgaires :** ordinaires.
2. **Les préaux :** les cours des prisons.
3. **Grand'peur :** très peur (expression ancienne).
4. **Philanthropie :** amour de l'humanité.
5. ***Traités des délits et des peines :*** principale œuvre de Beccaria.
6. **Vicinal :** petit chemin reliant entre elles des communes.
7. **Saignée :** dépense excessive.
8. **Apoplectique** : propre à étourdir, et par métaphore, excessif.
9. **Je ne sais plus quelle souris de La Fontaine :** allusion à la fable « Le Chat et le Vieux Rat ».

le restaure, le fourbit[1], le caresse, le fait jouer, le fait reluire, se remet à suifer[2] la vieille mécanique rouillée que l'oisiveté détraquait ; tout à coup il se retourne, saisit au hasard par les cheveux dans la première prison venue un de ces infortunés qui comptaient sur la vie, le tire à lui, le dépouille, l'attache, le boucle, et voilà les exécutions qui recommencent.

Tout cela est affreux, mais c'est de l'histoire.

Oui, il y a eu un sursis de six mois accordé à de malheureux captifs, dont on a gratuitement aggravé la peine de cette façon en les faisant reprendre à la vie ; puis, sans raison, sans nécessité, sans trop savoir pourquoi, pour le plaisir, on a un beau matin révoqué le sursis et l'on a remis froidement toutes ces créatures humaines en coupe réglée[3]. Eh ! mon Dieu ! je vous le demande, qu'est-ce que cela nous faisait à tous que ces hommes vécussent ? Est-ce qu'il n'y a pas en France assez d'air à respirer pour tout le monde ?

Pour qu'un jour un misérable commis de la Chancellerie[4], à qui cela était égal, se soit levé de sa chaise en disant : – Allons ! personne ne songe plus à l'abolition de la peine de mort. Il est temps de se remettre à guillotiner ! – il faut qu'il se soit passé dans le cœur de cet homme-là quelque chose de bien monstrueux.

Du reste, disons-le, jamais les exécutions n'ont été accompagnées de circonstances plus atroces que depuis cette révocation de sursis de juillet, jamais l'anecdote de la Grève n'a été plus révoltante et n'a mieux prouvé l'exécration de la peine de mort. Ce redoublement d'horreur est le juste châtiment des hommes qui ont remis le code du sang en vigueur. Qu'ils soient punis par leur œuvre. C'est bien fait.

Il faut citer ici deux ou trois exemples de ce que certaines exécutions ont eu d'épouvantable et d'impie. Il faut donner mal aux nerfs aux femmes des procureurs du roi. Une femme, c'est quelquefois une conscience.

Dans le midi, vers la fin du mois de septembre dernier, nous n'avons pas bien présents à l'esprit le lieu, le jour, ni le nom du

---

1. **Fourbit :** frotte.
2. **Suifer :** enduire de graisse.
3. **Remis [...] en coupe réglée :** rendus à leurs bourreaux.
4. **Commis de la Chancellerie :** employé du ministère de la Justice.

condamné, mais nous les retrouverons si l'on conteste le fait, et nous croyons que c'est à Pamiers[1] ; vers la fin de septembre donc, on vient trouver un homme dans sa prison, où il jouait tranquillement aux cartes ; on lui signifie qu'il faut mourir dans deux 340 heures, ce qui le fait trembler de tous ses membres, car, depuis six mois qu'on l'oubliait, il ne comptait plus sur la mort ; on le rase, on le tond, on le garrotte[2], on le confesse ; puis on le brouette[3] entre quatre gendarmes, et à travers la foule, au lieu de l'exécution. Jusqu'ici rien que de simple. C'est comme cela que cela se fait. 345 Arrivé à l'échafaud, le bourreau le prend au prêtre, l'emporte, le ficelle sur la bascule[4], l'*enfourne*[5], je me sers ici du mot d'argot, puis il lâche le couperet. Le lourd triangle de fer se détache avec peine, tombe en cahotant[6] dans ses rainures, et, voici l'horrible qui commence, entaille l'homme sans le tuer. L'homme pousse un 350 cri affreux. Le bourreau, déconcerté, relève le couperet et le laisse retomber. Le couperet mord le cou du patient une seconde fois, mais ne le tranche pas. Le patient hurle, la foule aussi. Le bourreau rehisse encore le couperet, espérant mieux du troisième coup. Point. Le troisième coup fait jaillir un troisième ruisseau de sang de 355 la nuque du condamné, mais ne fait pas tomber la tête. Abrégeons. Le couteau remonta et retomba cinq fois, cinq fois il entama le condamné, cinq fois le condamné hurla sous le coup et secoua sa tête vivante en criant grâce ! Le peuple indigné prit des pierres et se mit dans sa justice à lapider[7] le misérable bourreau. Le bour- 360 reau s'enfuit sous la guillotine et s'y tapit derrière les chevaux des gendarmes. Mais vous n'êtes pas au bout. Le supplicié, se voyant seul sur l'échafaud, s'était redressé sur la planche, et là, debout, effroyable, ruisselant de sang, soutenant sa tête à demi coupée qui pendait sur son épaule, il demandait avec de faibles cris qu'on 365 vînt le détacher. La foule, pleine de pitié, était sur le point de forcer

1. **Pamiers :** ville de l'Ariège où Hugo place l'exécution de Pierre Hébrard.
2. **Garrotte :** de « garrotter », attacher avec un garrot, c'est-à-dire un lien très serré.
3. **On le brouette :** on le transporte dans une brouette.
4. **Le ficelle sur la bascule :** l'attache sur la planche horizontale de la guillotine.
5. **Le bourreau [...] l'*enfourne* :** l'allonge sous la guillotine.
6. **En cahotant :** en bougeant en tout sens.
7. **Lapider :** exécuter quelqu'un en lui lançant des pierres.

les gendarmes et de venir à l'aide du malheureux qui avait subi cinq fois son arrêt de mort. C'est en ce moment-là qu'un valet du bourreau, jeune homme de vingt ans, monte sur l'échafaud, dit au patient de se tourner pour qu'il le délie, et, profitant de la posture[1]
370 du mourant qui se livrait à lui sans défiance, saute sur son dos et se met à lui couper péniblement ce qui lui restait de cou avec je ne sais quel couteau de boucher. Cela s'est fait. Cela s'est vu. Oui.

Aux termes de la loi[2], un juge a dû assister à cette exécution. D'un signe, il pouvait tout arrêter. Que faisait-il donc au fond de sa
375 voiture, cet homme, pendant qu'on massacrait un homme ? Que faisait ce punisseur d'assassins, pendant qu'on assassinait en plein jour, sous ses yeux, sous le souffle de ses chevaux, sous la vitre de sa portière ?

Et le juge n'a pas été mis en jugement ! et le bourreau n'a pas été
380 mis en jugement ! Et aucun tribunal ne s'est enquis de cette monstrueuse extermination de toutes les lois sur la personne sacrée d'une créature de Dieu !

Au dix-septième siècle, à l'époque de barbarie du code criminel[3], sous Richelieu, sous Christophe Fouquet[4], quand M. de Chalais[5] fut
385 mis à mort devant le Bouffay[6] de Nantes par un soldat maladroit qui, au lieu d'un coup d'épée, lui donna trente-quatre coups[7] d'une doloire[8] de tonnelier, du moins cela parut-il irrégulier au parlement de Paris : il y eut enquête et procès, et si Richelieu ne fut pas puni, si Christophe Fouquet ne fut pas puni, le soldat le fut. Injustice
390 sans doute, mais au fond de laquelle il y avait de la justice.

Ici, rien. La chose a eu lieu après juillet, dans un temps de douces mœurs et de progrès, un an après la célèbre lamentation de la

---

1. **Posture :** position.
2. **Aux termes de la loi :** selon la loi.
3. **Le code criminel :** le code des lois punissant les crimes.
4. **Christophe Fouquet :** représentant des autorités à Nantes à l'époque de l'exécution.
5. **M. de Chalais :** Henri de Talleyrand, comte de Chalais, exécuté en 1626 dans d'horribles souffrances pour avoir trempé dans diverses intrigues.
6. **Le Bouffay :** place de Nantes où étaient exécutés les condamnés à mort.
7. **Trente-quatre coups :** La Porte dit vingt-deux, mais Aubery dit trente-quatre. M. de Chalais cria jusqu'au vingtième. (Note de Victor Hugo.)
8. **Doloire :** couteau à large lame qui sert à dégrossir le cuir ou le bois.

Chambre sur la peine de mort. Eh bien ! le fait a passé absolument inaperçu. Les journaux de Paris l'ont publié comme une anecdote. 395 Personne n'a été inquiété. On a su seulement que la guillotine avait été disloquée exprès par quelqu'un *qui voulait nuire à l'exécuteur des hautes œuvres*[1]. C'était un valet du bourreau, chassé par son maître, qui, pour se venger, lui avait fait cette malice[2].

Ce n'était qu'une espièglerie. Continuons.

400 À Dijon, il y a trois mois, on a mené au supplice une femme. (Une femme !) Cette fois encore, le couteau du docteur Guillotin a mal fait son service. La tête n'a pas été tout à fait coupée. Alors les valets de l'exécuteur se sont attelés aux pieds de la femme, et à travers les hurlements de la malheureuse, et à force de tiraillements et de sou- 405 bresauts, ils lui ont séparé la tête du corps par arrachement.

À Paris, nous revenons au temps des exécutions secrètes. Comme on n'ose plus décapiter en Grève depuis juillet, comme on a peur, comme on est lâche, voici ce qu'on fait. On a pris dernièrement à Bicêtre un homme, un condamné à mort, un nommé Désandrieux, 410 je crois ; on l'a mis dans une espèce de panier traîné sur deux roues, clos de toutes parts, cadenassé et verrouillé ; puis, un gendarme en tête, un gendarme en queue, à petit bruit et sans foule, on a été déposer le paquet à la barrière déserte de Saint-Jacques[3]. Arrivés là, il était huit heures du matin, à peine jour, il y avait une 415 guillotine toute fraîche dressée et pour public quelque douzaine de petits garçons groupés sur les tas de pierres voisins autour de la machine inattendue ; vite, on a tiré l'homme du panier, et, sans lui donner le temps de respirer, furtivement, sournoisement, honteusement, on lui a escamoté sa tête. Cela s'appelle un acte public et 420 solennel de haute justice. Infâme dérision !

Comment donc les gens du roi comprennent-ils le mot civilisation ? Où en sommes-nous ? La justice ravalée[4] aux stratagèmes et aux supercheries ! la loi aux expédients[5] ! monstrueux !

---

1. ***L'exécuteur des hautes œuvres :*** le bourreau.
2. **Malice :** mauvais tour.
3. **La barrière déserte de Saint-Jacques :** à l'époque, l'une des portes de Paris.
4. **Ravalée :** réduite.
5. **Expédients :** moyens, souvent peu honnêtes, de résoudre momentanément une difficulté.

C'est donc une chose bien redoutable qu'un condamné à mort, pour que la société le prenne en traître de cette façon !

Soyons juste pourtant, l'exécution n'a pas été tout à fait secrète. Le matin on a crié et vendu comme de coutume l'arrêt de mort dans les carrefours de Paris. Il paraît qu'il y a des gens qui vivent de cette vente. Vous entendez ? du crime d'un infortuné, de son châtiment, de ses tortures, de son agonie, on fait une denrée, un papier qu'on vend un sou. Concevez-vous rien de plus hideux que ce sou, vertdegrisé dans le sang[1] ? Qui est-ce donc qui le ramasse ?

Voilà assez de faits. En voilà trop. Est-ce que tout cela n'est pas horrible ? Qu'avez-vous à alléguer pour la peine de mort[2] ?

Nous faisons cette question sérieusement ; nous la faisons pour qu'on y réponde ; nous la faisons aux criminalistes[3], et non aux lettrés bavards. Nous savons qu'il y a des gens qui prennent l'excellence de la peine de mort pour texte à paradoxe comme tout autre thème. Il y en a d'autres qui n'aiment la peine de mort que parce qu'ils haïssent tel ou tel qui l'attaque. C'est pour eux une question quasi littéraire, une question de personnes, une question de noms propres. Ceux-là sont les envieux, qui ne font pas plus faute aux bons jurisconsultes[4] qu'aux grands artistes. Les Joseph Grippa ne manquent pas plus aux Filangieri[5] que les Torregiani[6] aux Michel-Ange et les Scudéry[7] aux Corneille.

Ce n'est pas à eux que nous nous adressons, mais aux hommes de loi proprement dits, aux dialecticiens[8], aux raisonneurs, à ceux qui aiment la peine de mort pour la peine de mort, pour sa beauté, pour sa bonté, pour sa grâce.

---

1. **Ce sou, vertdegrisé dans le sang :** sorte de rouille de couleur verte qui se forme à la surface du cuivre. Hugo fait allusion ici au prix de la place payée par ceux qui voulaient assister à une exécution.
2. **Qu'avez-vous à alléguer pour la peine de mort ? :** quels arguments avez-vous pour défendre la peine de mort ?
3. **Criminalistes :** spécialistes du droit criminel.
4. **Jurisconsultes :** autres spécialistes du droit.
5. **Les Joseph Grippa [...] aux Filangieri :** deux juristes italiens du XVIIIe siècle qui étaient de farouches ennemis.
6. **Torregiani :** adversaire célèbre du peintre et sculpteur Michel-Ange, qui se battit avec lui.
7. **Scudéry :** Georges de Scudéry, romancier et dramaturge rival de Pierre Corneille.
8. **Dialecticiens :** ceux qui raisonnent par pure logique.

Voyons, qu'ils donnent leurs raisons.

450 Ceux qui jugent et qui condamnent disent la peine de mort nécessaire. D'abord, – parce qu'il importe de retrancher de la communauté sociale un membre qui lui a déjà nui et qui pourrait lui nuire encore. – S'il ne s'agissait que de cela, la prison perpétuelle suffirait. À quoi bon la mort ? Vous objectez qu'on peut s'échap-455 per d'une prison ? faites mieux votre ronde. Si vous ne croyez pas à la solidité des barreaux de fer, comment osez-vous avoir des ménageries[1] ?

Pas de bourreau où le geôlier[2] suffit.

Mais, reprend-on, – il faut que la société se venge, que la société 460 punisse. – Ni l'un, ni l'autre. Se venger est de l'individu, punir est de Dieu.

La société est entre deux. Le châtiment est au-dessus d'elle, la vengeance au-dessous. Rien de si grand et de si petit ne lui sied. Elle ne doit pas « punir pour se venger » ; elle doit *corriger pour* 465 *amélio*rer. Transformez de cette façon la formule des criminalistes, nous la comprenons et nous y adhérons.

Reste la troisième et dernière raison, la théorie de l'exemple. – Il faut faire des exemples ! il faut épouvanter par le spectacle du sort réservé aux criminels ceux qui seraient tentés de les imiter ! 470 – Voilà bien à peu près textuellement la phrase éternelle dont tous les réquisitoires des cinq cents parquets[3] de France ne sont que des variations plus ou moins sonores. Eh bien ! nous nions d'abord qu'il y ait exemple. Nous nions que le spectacle des supplices produise l'effet qu'on en attend. Loin d'édifier le peuple, il 475 le démoralise, et ruine en lui toute sensibilité, partant toute vertu. Les preuves abondent, et encombreraient notre raisonnement si nous voulions en citer. Nous signalerons pourtant un fait entre mille, parce qu'il est le plus récent. Au moment où nous écrivons, il n'a que dix jours de date[4]. Il est du 5 mars, dernier jour du carna-480 val. À Saint-Pol[5], immédiatement après l'exécution d'un incendiaire

1. **Ménageries :** zoos.
2. **Geôlier :** gardien de prison.
3. **Parquets :** tribunaux.
4. **Il n'a que dix jours de date :** cela s'est passé il n'y a que dix jours.
5. **Saint-Pol :** probablement la ville de Saint-Pol-sur-Mer.

nommé Louis Camus, une troupe de masques est venue danser autour de l'échafaud encore fumant. Faites donc des exemples ! le mardi gras[1] vous rit au nez.

Que si, malgré l'expérience, vous tenez à votre théorie routi-485 nière[2] de l'exemple, alors rendez-nous le seizième siècle, soyez vraiment formidables, rendez-nous la variété des supplices, rendez-nous Farinacci[3], rendez-nous les tourmenteurs-jurés[4], rendez-nous le gibet, la roue[5], le bûcher, l'estrapade[6], l'essorillement[7], l'écartèlement, la fosse à enfouir vif, la cuve à bouillir vif ; rendez-nous, 490 dans tous les carrefours de Paris, comme une boutique de plus ouverte parmi les autres, le hideux étal[8] du bourreau, sans cesse garni de chair fraîche. Rendez-nous Montfaucon[9], ses seize piliers de pierre, ses brutes assises, ses caves à ossements, ses poutres, ses crocs[10], ses chaînes, ses brochettes de squelettes, son éminence[11] de 495 plâtre tachetée de corbeaux, ses potences succursales[12], et l'odeur du cadavre que par le vent du nord-est il répand à larges bouffées sur tout le faubourg du Temple. Rendez-nous dans sa permanence et dans sa puissance ce gigantesque appentis[13] du bourreau de Paris. À la bonne heure ! Voilà de l'exemple en grand. Voilà de la 500 peine de mort bien comprise. Voilà un système de supplices qui a quelque proportion. Voilà qui est horrible, mais qui est terrible.

Ou bien faites comme en Angleterre. En Angleterre, pays de commerce, on prend un contrebandier sur la côte de Douvres[14],

---

1. **Mardi gras :** jour traditionnel du carnaval.
2. **Routinière :** habituelle.
3. **Farinacci :** juge et juriste italien du XVIe siècle connu pour son extrême sévérité.
4. **Tourmenteurs-jurés :** bourreaux.
5. **La roue :** supplice consistant à battre un prisonnier attaché sur une roue.
6. **L'estrapade :** torture dans laquelle on laisse tomber d'une certaine hauteur un supplicié attaché au bout d'une corde.
7. **L'essorillement :** supplice où l'on coupe les oreilles d'un condamné.
8. **Étal :** surface sur laquelle sont exposés des produits en vente.
9. **Montfaucon** : lieu où était situé un célèbre gibet parisien.
10. **Crocs :** crochets.
11. **Éminence :** élévation de terrain où était installée la potence.
12. **Ses potences succursales :** les autres lieux d'exécution situés à côté de Montfaucon.
13. **Appentis :** petits bâtiments.
14. **Douvres :** ville de la côte sud de l'Angleterre.

on le pend *pour l'exemple, pour l'exemple* on le laisse accroché au gibet ; mais, comme les intempéries de l'air pourraient détériorer le cadavre, on l'enveloppe soigneusement d'une toile enduite de goudron, afin d'avoir à le renouveler moins souvent. Ô terre d'économie ! goudronner les pendus !

Cela pourtant a encore quelque logique. C'est la façon la plus humaine de comprendre la théorie de l'exemple.

Mais vous, est-ce bien sérieusement que vous croyez faire un exemple quand vous égorgillez[1] misérablement un pauvre homme dans le recoin le plus désert des boulevards extérieurs ? En Grève, en plein jour, passe encore ; mais à la barrière Saint-Jacques ! mais à huit heures du matin ! Qui est-ce qui passe là ? Qui est-ce qui va là ? Qui est-ce qui sait que vous tuez un homme là ? Qui est-ce qui se doute que vous faites un exemple là ? Un exemple pour qui ? Pour les arbres du boulevard, apparemment.

Ne voyez-vous donc pas que vos exécutions publiques se font en tapinois[2] ? Ne voyez-vous donc pas que vous vous cachez ? Que vous avez peur et honte de votre œuvre ? Que vous balbutiez ridiculement votre *discite justitiam moniti*[3] ? Qu'au fond vous êtes ébranlés, interdits, inquiets, peu certains d'avoir raison, gagnés par le doute général, coupant des têtes par routine et sans trop savoir ce que vous faites ? Ne sentez-vous pas au fond du cœur que vous avez tout au moins perdu le sentiment moral et social de la mission de sang que vos prédécesseurs, les vieux parlementaires, accomplissaient avec une conscience si tranquille ? La nuit, ne retournez-vous pas plus souvent qu'eux la tête sur votre oreiller ? D'autres avant vous ont ordonné des exécutions capitales, mais ils s'estimaient dans le droit, dans le juste, dans le bien. Jouvenel des Ursins[4] se croyait un juge ; Élie de Thorrette se croyait un juge ; Laubardemont, La Reynie et Laffemas[5]

---

1. **Égorgillez :** égorgez lentement.
2. **En tapinois :** en secret.
3. ***Discite justiciam moniti :*** « Apprenez par mon exemple ce qu'est la justice », selon l'expression d'un personnage de *L'Énéide* de Virgile, Phlégyas, supplicié aux Enfers.
4. **Jouvenel des Ursins :** magistrat de Richelieu connu pour sa cruauté.
5. **Laubardemont, La Reynie et Laffemas :** autres magistrats de Richelieu, aussi sévères que Jouvenel des Ursins. Laffemas est mis en scène par Hugo dans son roman *Marion Delorme* (1829).

eux-mêmes se croyaient des juges ; vous, dans votre for intérieur, vous n'êtes pas bien sûrs de ne pas être des assassins !

535 Vous quittez la Grève pour la barrière Saint-Jacques, la foule pour la solitude, le jour pour le crépuscule. Vous ne faites plus fermement ce que vous faites. Vous vous cachez, vous dis-je !

Toutes les raisons pour la peine de mort, les voilà donc démolies. Voilà tous les syllogismes[1] de parquets mis à néant. Tous ces copeaux 540 de réquisitoires[2], les voilà balayés et réduits en cendres. Le moindre attouchement de la logique[3] dissout tous les mauvais raisonnements.

Que les gens du roi ne viennent donc plus nous demander des têtes, à nous jurés, à nous hommes, en nous adjurant d'une voix caressante au nom de la société à protéger, de la vindicte[4] publique 545 à assurer, des exemples à faire. Rhétorique, ampoule[5], et néant que tout cela ! un coup d'épingle dans ces hyperboles[6], et vous les désenflez. Au fond de ce doucereux verbiage[7], vous ne trouvez que dureté de cœur, cruauté, barbarie, envie de prouver son zèle, nécessité de gagner ses honoraires. Taisez-vous, mandarins[8] ! Sous 550 la patte de velours du juge on sent les ongles du bourreau.

Il est difficile de songer de sang-froid à ce que c'est qu'un procureur royal criminel. C'est un homme qui gagne sa vie à envoyer les autres à l'échafaud. C'est le pourvoyeur titulaire des places de Grève. Du reste, c'est un monsieur qui a des prétentions au 555 style et aux lettres, qui est beau parleur ou croit l'être, qui récite au besoin un vers latin ou deux avant de conclure à la mort, qui cherche à faire de l'effet, qui intéresse son amour-propre, ô misère ! là où d'autres ont leur vie engagée, qui a ses modèles à lui, ses types désespérants à atteindre, ses classiques, son Bellart[9], son

---

1. **Syllogismes :** raisonnements artificiels.
2. **Copeaux de réquisitoires :** « petits morceaux de réquisitoires sans intérêt ».
3. **Le moindre attouchement de la logique :** n'importe quelle réflexion logique.
4. **Vindicte :** désir de vengeance et de punition.
5. **Ampoule :** formulation verbeuse.
6. **Hyperboles :** paroles excessives.
7. **Doucereux verbiage :** paroles fades et vides.
8. **Mandarins :** hommes de pouvoir (par rapprochement avec les mandarins chinois, hauts fonctionnaires de la Chine ancienne).
9. **Bellart :** célèbre magistrat de la Restauration.

560 Marchangy[1], comme tel poète a Racine et tel autre Boileau. Dans le débat, il tire du côté de la guillotine, c'est son rôle, c'est son état. Son réquisitoire, c'est son œuvre littéraire, il le fleurit de métaphores, il le parfume de citations, il faut que cela soit beau à l'audience, que cela plaise aux dames. Il a son bagage de lieux communs 565 encore très neufs pour la province, ses élégances d'élocution[2], ses recherches, ses raffinements d'écrivain. Il hait le mot propre presque autant que nos poètes tragiques de l'école de Delille[3]. N'ayez pas peur qu'il appelle les choses par leur nom. Fi donc ! Il a pour toute idée dont la nudité vous révolterait des déguisements 570 complets d'épithètes et d'adjectifs. Il rend M. Samson[4] présentable. Il gaze[5] le couperet. Il estompe la bascule[6]. Il entortille le panier rouge[7] dans une périphrase. On ne sait plus ce que c'est. C'est douceâtre et décent. Vous le représentez-vous, la nuit, dans son cabinet, élaborant à loisir et de son mieux cette harangue[8] qui fera 575 dresser un échafaud dans six semaines ? Le voyez-vous suant sang et eau pour emboîter la tête d'un accusé dans le plus fatal article du code ? Le voyez-vous scier avec une loi mal faite le cou d'un misérable ? Remarquez-vous comme il fait infuser dans un gâchis de tropes[9] et de synecdoches[10] deux ou trois textes vénéneux pour 580 en exprimer et en extraire à grand-peine la mort d'un homme ? N'est-il pas vrai que, tandis qu'il écrit, sous sa table, dans l'ombre,

1. **Marchangy :** autre magistrat illustre de la même époque, auteur du réquisitoire contre les quatre sergents de La Rochelle, qui avaient comploté contre la République et furent exécutés en 1822.
2. **Élocution :** manière de parler.
3. **Delille :** Jacques Delille (1738-1813), auteur d'une poésie morale et philosophique détestée par les écrivains romantiques.
4. **Samson :** les Samson étaient une célèbre famille de bourreau qui apparaît également dans *Han d'Islande* et *Les Misérables* ; Charles-Henri Samson guillotina Louis XVI et son fils Henri Marie-Antoinette.
5. **Il gaze :** il recouvre d'une étoffe légère (ici : pour cacher).
6. **Il estompe la bascule :** il dissimule l'échafaud.
7. **Le panier rouge :** le panier où les têtes des guillotinés étaient placées.
8. **Harangue :** long discours.
9. **Tropes :** figures de comparaison.
10. **Synecdoches :** synecdoques ; figure de style par laquelle on désigne le tout par la partie.

il a probablement le bourreau accroupi à ses pieds, et qu'il arrête de temps en temps sa plume pour lui dire, comme le maître à son chien : – Paix là ! paix là ! tu vas avoir ton os !

585 Du reste, dans la vie privée, cet homme du roi peut être un honnête homme, bon père, bon fils, bon mari, bon ami, comme disent toutes les épitaphes[1] du Père-Lachaise[2].

Espérons que le jour est prochain où la loi abolira ces fonctions funèbres. L'air seul de notre civilisation doit dans un temps donné 590 user la peine de mort.

On est parfois tenté de croire que les défenseurs de la peine de mort n'ont pas bien réfléchi à ce que c'est. Mais pesez donc un peu à la balance de quelque crime que ce soit ce droit exorbitant que la société s'arroge d'ôter[3] ce qu'elle n'a pas donné, cette peine, la plus 595 irréparable des peines irréparables !

De deux choses l'une :

Ou l'homme que vous frappez est sans famille, sans parents, sans adhérents dans ce monde. Et dans ce cas, il n'a reçu ni éducation, ni instruction, ni soins pour son esprit, ni soins pour son cœur ; 600 et alors de quel droit tuez-vous ce misérable orphelin ? Vous le punissez de ce que son enfance a rampé sur le sol sans tige et sans tuteur ! Vous lui imputez à forfait l'isolement où vous l'avez laissé ! De son malheur vous faites son crime ! Personne ne lui a appris à savoir ce qu'il faisait. Cet homme ignore. Sa faute est à sa destinée, 605 non à lui. Vous frappez un innocent.

Ou cet homme a une famille ; et alors croyez-vous que le coup dont vous l'égorgez ne blesse que lui seul ? que son père, que sa mère, que ses enfants, n'en saigneront pas ? Non. En le tuant, vous décapitez toute sa famille. Et ici encore vous frappez des innocents.

610 Gauche et aveugle pénalité, qui, de quelque côté qu'elle se tourne, frappe l'innocent !

Cet homme, ce coupable qui a une famille, séquestrez-le. Dans sa prison, il pourra travailler encore pour les siens. Mais comment les fera-t-il vivre du fond de son tombeau ? Et songez-vous sans 615 frissonner à ce que deviendront ces petits garçons, ces petites filles,

1. **Épitaphes :** inscriptions situées sur une tombe.
2. **Père-Lachaise :** le plus grand cimetière de Paris.
3. **S'arroge d'ôter :** se donne le droit d'enlever.

auxquelles vous ôtez leur père, c'est-à-dire leur pain ? Est-ce que vous comptez sur cette famille pour approvisionner dans quinze ans, eux le bagne, elles le musico[1] ? Oh ! les pauvres innocents !

Aux colonies, quand un arrêt de mort tue un esclave, il y a mille 620 francs d'indemnité pour le propriétaire de l'homme. Quoi ! vous dédommagez le maître, et vous n'indemnisez pas la famille ! Ici aussi ne prenez-vous pas un homme à ceux qui le possèdent ? N'est-il pas, à un titre bien autrement sacré[2] que l'esclave vis-à-vis du maître, la propriété de son père, le bien de sa femme, la chose 625 de ses enfants ?

Nous avons déjà convaincu votre loi d'assassinat. La voici convaincue de vol.

Autre chose encore. L'âme de cet homme, y songez-vous ? Savez-vous dans quel état elle se trouve ? Osez-vous bien l'expédier si les-630 tement[3] ? Autrefois du moins, quelque foi[4] circulait dans le peuple ; au moment suprême, le souffle religieux qui était dans l'air pouvait amollir le plus endurci ; un patient était en même temps un pénitent[5] ; la religion lui ouvrait un monde au moment où la société lui en fermait un autre ; toute âme avait conscience de Dieu ; l'échafaud 635 n'était qu'une frontière du ciel. Mais quelle espérance mettez-vous sur l'échafaud maintenant que la grosse foule ne croit plus ? maintenant que toutes les religions sont attaquées du dry-rot[6], comme ces vieux vaisseaux qui pourrissent dans nos ports, et qui jadis peut-être ont découvert des mondes ? maintenant que les petits enfants se 640 moquent de Dieu ? De quel droit lancez-vous dans quelque chose dont vous doutez vous-mêmes les âmes obscures de vos condamnés, ces âmes telles que Voltaire et M. Pigault-Lebrun[7] les ont faites ? Vous les livrez à votre aumônier de prison[8], excellent vieillard sans doute ;

---

1. **Musico :** cabaret de mauvaise réputation.
2. **À un titre bien autrement sacré :** pour des raisons bien plus sacrées.
3. **Lestement :** rapidement, sans y accorder d'attention.
4. **Quelque foi :** un minimum de croyance religieuse.
5. **Pénitent :** personne qui cherche à se faire pardonner ses péchés.
6. **Dry-rot :** pourriture du bois.
7. **Pigault-Lebrun :** romancier populaire (1753-1835) peintre de la société de son temps.
8. **Aumônier de prison :** prêtre chargé de venir en aide aux prisonniers.

mais croit-il et fait-il croire ? Ne grossoie-t-il[1] pas comme une corvée
645 son œuvre sublime ? Est-ce que vous le prenez pour un prêtre, ce bonhomme qui coudoie le bourreau dans la charrette ? Un écrivain plein d'âme et de talent l'a dit avant nous : *C'est une horrible chose de conserver le bourreau après avoir ôté le confesseur !*

Ce ne sont là, sans doute, que des « raisons sentimentales », comme
650 disent quelques dédaigneux qui ne prennent leur logique que dans leur tête. À nos yeux, ce sont les meilleures. Nous préférons souvent les raisons du sentiment aux raisons de la raison. D'ailleurs les deux séries se tiennent toujours, ne l'oublions pas. *Le Traité des délits* est greffé sur *L'Esprit des lois*[2]. Montesquieu a engendré Beccaria.

655 La raison est pour nous, le sentiment est pour nous, l'expérience est aussi pour nous. Dans les États modèles, où la peine de mort est abolie, la masse des crimes capitaux suit d'année en année une baisse progressive. Pesez ceci.

Nous ne demandons cependant pas pour le moment une brusque
660 et complète abolition de la peine de mort, comme celle où s'était si étourdiment engagée la Chambre des députés. Nous désirons, au contraire, tous les essais, toutes les précautions, tous les tâtonnements de la prudence. D'ailleurs, nous ne voulons pas seulement l'abolition de la peine de mort, nous voulons un remaniement
665 complet de la pénalité[3] sous toutes ses formes, du haut en bas, depuis le verrou[4] jusqu'au couperet, et le temps est un des ingrédients qui doivent entrer dans une pareille œuvre pour qu'elle soit bien faite. Nous comptons développer ailleurs, sur cette matière, le système d'idées que nous croyons applicable. Mais, indépen-
670 damment des abolitions partielles pour le cas de fausse monnaie, d'incendie, de vols qualifiés[5], etc., nous demandons que dès à présent, dans toutes les affaires capitales, le président soit tenu de poser au jury cette question : *L'accusé a-t-il agi par passion ou par intérêt ?* et que, dans le cas où le jury répondrait : *L'accusé a agi par*

---

1. **Grossoie-t-il :** de « grossoyer », « recopier rapidement ».
2. ***L'Esprit des lois :*** traité de philosophie politique où Montesquieu s'oppose au despotisme.
3. **Pénalité :** loi qui fixe les peines.
4. **Le verrou :** l'emprisonnement.
5. **Vols qualifiés :** terme juridique désignant les délits de vol.

675 *passion*, il n'y ait pas condamnation à mort. Ceci nous épargnerait du moins quelques exécutions révoltantes. Ulbach et Debacker seraient sauvés. On ne guillotinerait plus Othello[1].

Au reste, qu'on ne s'y trompe pas, cette question de la peine de mort mûrit tous les jours. Avant peu, la société entière la résoudra 680 comme nous.

Que les criminalistes les plus entêtés y fassent attention, depuis un siècle la peine de mort va s'amoindrissant. Elle se fait presque douce. Signe de décrépitude[2]. Signe de faiblesse. Signe de mort prochaine. La torture a disparu. La roue a disparu. La potence a 685 disparu. Chose étrange ! la guillotine elle-même est un progrès.

M. Guillotin était un philanthrope.

Oui, l'horrible Thémis[3] dentue[4] et vorace de Farinace et de Vouglans, de Delancre et d'Isaac Loisel, de d'Oppède et de Machault[5], dépérit. Elle maigrit. Elle se meurt.

690 Voilà déjà la Grève qui n'en veut plus. La Grève se réhabilite. La vieille buveuse de sang s'est bien conduite en juillet. Elle veut mener désormais meilleure vie et rester digne de sa dernière belle action. Elle qui s'était prostituée depuis trois siècles à tous les échafauds, la pudeur la prend. Elle a honte de son ancien métier. Elle veut perdre 695 son vilain nom. Elle répudie[6] le bourreau. Elle lave son pavé.

À l'heure qu'il est, la peine de mort est déjà hors de Paris. Or, disons-le bien ici, sortir de Paris c'est sortir de la civilisation.

Tous les symptômes sont pour nous. Il semble aussi qu'elle se rebute et qu'elle rechigne, cette hideuse machine, ou plutôt ce 700 monstre fait de bois et de fer qui est à Guillotin ce que Galatée est à Pygmalion[7]. Vues d'un certain côté, les effroyables exécutions que nous avons détaillées plus haut sont d'excellents signes. La

---

1. **Othello :** personnage principal de la tragédie *Othello* de Shakespeare, meurtrier par jalousie de son épouse Desdémone.
2. **Décrépitude :** vieillesse, dégénérescence.
3. **Thémis :** déesse grecque de la Justice, figurée avec une épée et une balance.
4. **Dentue :** pourvue de grosses dents.
5. **Farinace [...] Machault :** noms de magistrats restés célèbres pour leur férocité.
6. **Répudie :** repousse.
7. **Pygmalion :** sculpteur légendaire de l'Antiquité, auteur d'une statue de Galatée que la déesse de l'Amour Aphrodite aurait, selon la légende, rendue vivante.

guillotine hésite. Elle en est à manquer son coup. Tout le vieil échafaudage de la peine de mort se détraque.

705 L'infâme machine partira de France, nous y comptons, et, s'il plaît à Dieu, elle partira en boitant, car nous tâcherons de lui porter de rudes coups.

Qu'elle aille demander l'hospitalité ailleurs, à quelque peuple barbare, non à la Turquie, qui se civilise, non aux sauvages, qui ne 710 voudraient pas d'elle[1] ; mais qu'elle descende quelques échelons encore de l'échelle de la civilisation, qu'elle aille en Espagne ou en Russie.

L'édifice social du passé reposait sur trois colonnes, le prêtre, le roi, le bourreau. Il y a déjà longtemps qu'une voix a dit : *Les* 715 *dieux s'en vont !* Dernièrement une autre voix s'est élevée et a crié : *Les rois s'en vont !* Il est temps maintenant qu'une troisième voix s'élève et dise : *Le bourreau s'en va !*

Ainsi l'ancienne société sera tombée pierre à pierre ; ainsi la providence aura complété l'écroulement du passé.

720 À ceux qui ont regretté les dieux, on a pu dire : Dieu reste. À ceux qui regrettent les rois, on peut dire : la patrie reste. À ceux qui regretteraient le bourreau, on n'a rien à dire.

Et l'ordre ne disparaîtra pas avec le bourreau ; ne le croyez point. La voûte de la société future ne croulera pas pour n'avoir point cette 725 clef hideuse. La civilisation n'est autre chose qu'une série de transformations successives. À quoi donc allez-vous assister ? à la transformation de la pénalité. La douce loi du Christ pénétrera enfin le code et rayonnera à travers. On regardera le crime comme une maladie, et cette maladie aura ses médecins qui remplaceront vos juges, ses 730 hôpitaux qui remplaceront vos bagnes. La liberté et la santé se ressembleront. On versera le baume[2] et l'huile où l'on appliquait le fer et le feu. On traitera par la charité ce mal qu'on traitait par la colère. Ce sera simple et sublime. La croix substituée au gibet. Voilà tout.

15 mars 1832.

---

1. **Qu'elle aille [...] qui ne voudraient pas d'elle :** le parlement d'Otahiti (Tahiti). vient d'abolir la peine de mort. (Note de Victor Hugo.)
2. **Le baume :** pommade utilisée comme médicament.

LE DERNIER JOUR D'UN CONDAMNÉ

Une comédie à propos d'une tragédie[1]

PERSONNAGES

MADAME DE BLINVAL

LE CHEVALIER

ERGASTE

UN POÈTE ÉLÉGIAQUE[2]

UN PHILOSOPHE

UN GROS MONSIEUR[3]

UN MONSIEUR MAIGRE

DES FEMMES

UN LAQUAIS

---

1. **Une comédie à propos d'une tragédie :** nous avons cru devoir réimprimer ici l'espèce de préface en dialogue qu'on va lire, et qui accompagnait la troisième édition du *Dernier Jour d'un condamné.* Il faut se rappeler, en la lisant, au milieu de quelles objections politiques, morales et littéraires les premières éditions de ce livre furent publiées. (Note de l'édition de 1832.)
2. **Élégiaque :** registre de la tristesse et du regret.
3. **Un gros monsieur :** allusion de Hugo au critique Jules Janin, qui s'en prit à la première version du *Dernier Jour d'un condamné.*

UN POÈTE ÉLÉGIAQUE, *lisant.*

Le lendemain, des pas traversaient la forêt,
Un chien le long du fleuve en aboyant errait ;
Et quand la bachelette[1] en larmes
5 *Revint s'asseoir, le cœur rempli d'alarmes,*
Sur la tant vieille tour de l'antique châtel[2],
Elle entendit les flots gémir, la triste Isaure,
Mais plus n'entendit la mandore[3]
Du gentil ménestrel[4] !

10 TOUT L'AUDITOIRE. Bravo ! charmant ! ravissant !
On bat des mains.

MADAME DE BLINVAL. Il y a dans cette fin un mystère indéfinissable qui tire les larmes des yeux.

LE POÈTE ÉLÉGIAQUE, *modestement.* La catastrophe est voilée.

15 LE CHEVALIER, *hochant la tête. Mandore, ménestrel,* c'est du romantique, ça !

LE POÈTE ÉLÉGIAQUE. Oui, monsieur, mais du romantique raisonnable, du vrai romantique. Que voulez-vous ? Il faut bien faire quelques concessions.

20 LE CHEVALIER. Des concessions ! des concessions ! c'est comme cela qu'on perd le goût. Je donnerais tous les vers romantiques seulement pour ce quatrain :

De par le Pinde[5] et par Cythère[6],
Gentil-Bernard[7] est averti
25 *Que l'Art d'Aimer[8] doit samedi*
Venir souper chez l'Art de Plaire[9].

---

1. **Bachelette :** jeune fille (comme le vocabulaire qui suit, le mot « bachelette » imite la manière de parler du Moyen Âge).
2. **Châtel :** orthographe ancienne de « château ».
3. **Mandore :** luth.
4. **Ménestrel :** poète du Moyen Âge qui chantait en s'accompagnant de musique.
5. ***Le Pinde :*** Pindare, poète de la Grèce antique.
6. ***Cythère*** : île grecque mythique dévouée à l'amour.
7. ***Gentil-Bernard :*** nom imaginaire inspiré des personnages de précieuses du XVIIe siècle.
8. ***L'Art d'Aimer :*** personnage nommé d'après une œuvre d'Ovide, *L'Art d'aimer.*
9. ***L'Art de Plaire :*** autre nom allégorique formé selon l'usage des précieuses.

Voilà la vraie poésie ! *L'Art d'Aimer qui soupe samedi chez l'Art de Plaire* ! à la bonne heure ! Mais aujourd'hui c'est la *mandore, le ménestrel.* On ne fait plus de *poésies fugitives.* Si j'étais poète, je
30 ferais des *poésies fugitives* ; mais je ne suis pas poète, moi.

LE POÈTE ÉLÉGIAQUE. Cependant, les élégies[1]...

LE CHEVALIER. *Poésies fugitives,* monsieur. *(Bas à Mme de Blinval :)* Et puis, *châtel* n'est pas français ; on dit Castel.

QUELQU'UN, *au poète élégiaque.* Une observation, monsieur. Vous
35 dites *l'antique châtel,* pourquoi pas le *gothique*[2] ?

LE POÈTE ÉLÉGIAQUE. *Gothique* ne se dit pas en vers.

QUELQU'UN. Ah ! c'est différent.

LE POÈTE ÉLÉGIAQUE, *poursuivant.* Voyez-vous bien, monsieur, il faut se borner. Je ne suis pas de ceux qui veulent désorganiser
40 le vers français, et nous ramener à l'époque des Ronsard[3] et des Brébeuf[4]. Je suis romantique, mais modéré. C'est comme pour les émotions. Je les veux douces, rêveuses, mélancoliques, mais jamais de sang, jamais d'horreurs. Voiler les catastrophes. Je sais qu'il y a des gens, des fous, des imaginations en délire qui... Tenez, mes-
45 dames, avez-vous lu le nouveau roman ?

LES DAMES. Quel roman ?

LE POÈTE ÉLÉGIAQUE. *Le Dernier Jour...*

UN GROS MONSIEUR. Assez, monsieur ! je sais ce que vous voulez dire. Le titre seul me fait mal aux nerfs.

50 **MADAME DE BLINVAL.** Et à moi aussi. C'est un livre affreux. Je l'ai là.

LES DAMES. Voyons, voyons.
On se passe le livre de main en main.

QUELQU'UN, *lisant. Le Dernier Jour d'un...*

LE GROS MONSIEUR. Grâce, madame !

---

1. **Élégies :** voir note 2, page 47.
2. **Gothique :** terme technique désignant l'architecture de la seconde moitié du XIIe siècle.
3. **Ronsard :** poète français de la Renaissance.
4. **Brébeuf :** poète du XVIIe siècle, resté célèbre pour l'extrême raffinement de ses vers.

55 **MADAME DE BLINVAL.** En effet, c'est un livre abominable, un livre qui donne le cauchemar, un livre qui rend malade.

UNE FEMME, *bas.* Il faudra que je lise cela.

LE GROS MONSIEUR. Il faut convenir que les mœurs vont se dépravant[1] de jour en jour. Mon Dieu, l'horrible idée ! développer, 60 creuser, analyser, l'une après l'autre et sans en passer une seule, toutes les souffrances physiques, toutes les tortures morales que doit éprouver un homme condamné à mort, le jour de l'exécution ! Cela n'est-il pas atroce ? Comprenez-vous, mesdames, qu'il se soit trouvé un écrivain pour cette idée, et un public pour cet écrivain ?

65 **LE CHEVALIER.** Voilà en effet qui est souverainement impertinent.

MADAME DE BLINVAL. Qu'est-ce que c'est que l'auteur ?

LE GROS MONSIEUR. Il n'y avait pas de nom à la première édition.

LE POÈTE ÉLÉGIAQUE. C'est le même qui a déjà fait deux autres romans... ma foi, j'ai oublié les titres. Le premier[2] commence à la 70 Morgue et finit à la Grève. À chaque chapitre, il y a un ogre qui mange un enfant.

LE GROS MONSIEUR. Vous avez lu cela, monsieur ?

LE POÈTE ÉLÉGIAQUE. Oui, monsieur ; la scène se passe en Islande.

LE GROS MONSIEUR. En Islande, c'est épouvantable !

75 **LE POÈTE ÉLÉGIAQUE.** Il a fait en outre des odes, des ballades[3], je ne sais quoi, où il y a des monstres qui ont des *corps bleus.*

LE CHEVALIER, *riant.* Corbleu[4] ! cela doit faire un furieux vers.

LE POÈTE ÉLÉGIAQUE. Il a publié aussi un drame, – on appelle cela un drame, – où l'on trouve ce beau vers : *Demain vingt-cinq* 80 *juin mil six cent cinquante sept*[5].

---

1. **Se dépravant :** dégénérant, se pervertissant.
2. **Le premier :** allusion de Hugo à son premier roman, *Han d'Islande* (1823).
3. **Des odes, des ballades :** allusion de Hugo à son premier recueil de poésie, *Odes et Ballades* (1826).
4. **Corbleu :** interjection qui reprend, par paronomase, c'est-à-dire par équivalence sonore, la fin de la phrase précédente (corps bleus).
5. ***Demain vingt-cinq juin mil six cent cinquante sept :*** premier vers de *Cromwell* de Hugo (1827), qui fit scandale par sa rupture avec les règles classiques de l'alexandrin.

QUELQU'UN. Ah, ce vers !

LE POÈTE ÉLÉGIAQUE. Cela peut s'écrire en chiffres, voyez-vous, mesdames : *Demain, 25 juin 1657.*
Il rit. On rit.

85 **LE CHEVALIER.** C'est une chose particulière que la poésie d'à présent.

LE GROS MONSIEUR. Ah çà ! il ne sait pas versifier, cet homme-là ! Comment donc s'appelle-t-il déjà ?

LE POÈTE ÉLÉGIAQUE. Il a un nom aussi difficile à retenir qu'à
90 prononcer. Il y a du goth, du wisigoth, de l'ostrogoth[1] dedans.
Il rit.

MADAME DE BLINVAL. C'est un vilain homme.

LE GROS MONSIEUR. Un abominable homme.

UNE JEUNE FEMME. Quelqu'un qui le connaît m'a dit...

95 **LE GROS MONSIEUR.** Vous connaissez quelqu'un qui le connaît ?

LA JEUNE FEMME. Oui, et qui dit que c'est un homme doux, simple, qui vit dans la retraite et passe ses journées à jouer avec ses enfants.

LE POÈTE. Et ses nuits à rêver des œuvres de ténèbres[2]. – C'est
100 singulier ; voilà un vers que j'ai fait tout naturellement. Mais c'est qu'il y est, le vers : *Et ses nuits à rêver des œuvres de ténèbres.* Avec une bonne césure. Il n'y a plus que l'autre rime à trouver. Pardieu ! *funèbres.*

---

1. **Du goth, du wisigoth, de l'ostrogoth :** Barbares germaniques ayant envahi l'Europe à la fin de l'Empire romain. Ces termes sont des jeux de mots sur le nom *Hugo.*
2. **Œuvres de ténèbres** : œuvres graves, sombres.

Clefs d'analyse

Une comédie à propos d'une tragédie
(l. 1 à 103, p. 48 à 51)

Action et personnages

1. Chaque personnage représente un adversaire de Hugo : devinez qui se cache derrière qui. À partir de quels signes le lecteur peut-il identifier les contradicteurs de Hugo ?
2. Résumez les arguments en faveur de la peine de mort émis par les adversaires de Hugo.
3. Comment Hugo se présente-t-il dans ce passage ? Pourquoi ?

Langue

4. De quelle « tragédie » parle-t-on dans le titre de la pièce ?
5. Le poème du « poète élégiaque » nous fait rire. Expliquez pourquoi en citant les mots ou expressions qui nous amusent.
6. Expliquez le sens de l'adjectif « gothique » (ligne 35).
7. « On ne fait plus de poésies fugitives » (ligne 29) : cette expression a-t-elle un sens ? Sinon, expliquez pourquoi.
8. « Du goth, du wisigoth, de l'ostrogoth » (ligne 90) : expliquez le sens de ces mots et l'usage qu'en fait Hugo.
9. « En Islande » (ligne 73). Pourquoi ce pays ?

Genre ou thèmes

10. Que vient faire une scène de théâtre au début d'un roman ?
11. Cette pièce est-elle destinée à être jouée au théâtre ? Justifiez votre réponse.
12. Dans ce passage, les personnages citent plusieurs genres poétiques différents. Faites-en la liste et décrivez-les.
13. Qu'est-ce qu'un « drame » ? Pourquoi y trouve-t-on des « vers » ?

Écriture

14. Essayez de rédiger un poème à la manière du « poète élégiaque ». Vous utiliserez un vocabulaire et des thèmes inspirés du Moyen Âge pour faire rire le lecteur.

Pour aller plus loin

15. Hugo cherche-t-il vraiment à nous faire rire ? Quels procédés humoristiques utilise-t-il ?
16. Comment Hugo fait-il pour défendre sa pièce et renverser les arguments de ses adversaires ?
17. Qui sont les « romantiques » ? Comment Hugo cherche-t-il à les défendre ?
18. Que pensez-vous du résumé fait par le poète élégiaque du roman de Hugo ? Quels chapitres reconnaissez-vous ?

* *À retenir*

L'insertion d'une courte scène de théâtre (une saynète) en préface à un roman est un procédé extrêmement original et dont on ne trouve aucun autre exemple dans la littérature. À travers des personnages ridicules et caricaturaux, Hugo nous propose dans cette saynète une critique des partisans de la peine de mort et une défense de son propre roman. Et habilement, l'écrivain en profite pour se présenter positivement à ses lecteurs et défendre le mouvement du romantisme.

Madame de Blinval. *Quidquid tentabat dicere, versus erat*[1].

105 **Le gros monsieur.** Vous disiez donc que l'auteur en question a des petits enfants. Impossible, madame. Quand on a fait cet ouvrage-là ! un roman atroce !

Quelqu'un. Mais, ce roman, dans quel but l'a-t-il fait ?

Le poète élégiaque. Est-ce que je sais, moi ?

110 **Un philosophe.** À ce qu'il paraît, dans le but de concourir à l'abolition de la peine de mort.

Un gros monsieur. Une horreur, vous dis-je !

Le chevalier. Ah ça ! c'est donc un duel avec le bourreau ?

Le poète élégiaque. Il en veut terriblement à la guillotine.

115 **Un monsieur maigre.** Je vois cela d'ici. Des déclamations.

Le gros monsieur. Point. Il y a à peine deux pages sur ce texte de la peine de mort. Tout le reste, ce sont des sensations.

Le philosophe. Voilà le tort. Le sujet méritait le raisonnement. Un drame, un roman ne prouve rien. Et puis, j'ai lu le livre, et il est 120 mauvais.

Le poète élégiaque. Détestable ! Est-ce que c'est là de l'art ? C'est passer les bornes, c'est casser les vitres. Encore, ce criminel, si je le connaissais ? mais point. Qu'a-t-il fait ? on n'en sait rien. C'est peut-être un fort mauvais drôle. On n'a pas le droit de m'intéresser 125 à quelqu'un que je ne connais pas.

Le gros monsieur. On n'a pas le droit de faire éprouver à son lecteur des souffrances physiques. Quand je vois des tragédies, on se tue, eh bien ! cela ne me fait rien. Mais ce roman, il vous fait dresser les cheveux sur la tête, il vous fait venir la chair de poule, il 130 vous donne de mauvais rêves. J'ai été deux jours au lit pour l'avoir lu.

Le philosophe. Ajoutez à cela que c'est un livre froid et compassé[2].

Le poète. Un livre !... un livre !...

---

1. ***Quidquid tentabat dicere, versus erat :*** « tout ce qu'il savait dire lui sortait en vers » ; formule du poète latin Ovide, resté lui-même célèbre pour sa facilité à composer des vers.
2. **Compassé :** grave, affecté.

Le philosophe. Oui. – Et comme vous disiez tout à l'heure, monsieur, ce n'est point là de véritable esthétique[1]. Je ne m'intéresse pas à une abstraction, à une entité[2] pure. Je ne vois point là une personnalité qui s'adéquate[3] avec la mienne. Et puis, le style n'est ni simple ni clair. Il sent l'archaïsme[4]. C'est bien là ce que vous disiez, n'est-ce pas ?

Le poète. Sans doute, sans doute. Il ne faut pas de personnalités[5].

Le philosophe. Le condamné n'est pas intéressant.

Le poète. Comment intéresserait-il ? il a un crime et pas de remords. J'eusse fait tout le contraire. J'eusse conté l'histoire de mon condamné. Né de parents honnêtes. Une bonne éducation. De l'amour. De la jalousie. Un crime qui n'en soit pas un. Et puis des remords, des remords, beaucoup de remords. Mais les lois humaines sont implacables : il faut qu'il meure. Et là j'aurais traité ma question de la peine de mort. À la bonne heure !

Madame de Blinval. Ah ! ah !

Le philosophe. Pardon. Le livre, comme l'entend monsieur, ne prouverait rien. La particularité ne régit pas la généralité.

Le poète. Eh bien ! mieux encore ; pourquoi n'avoir pas choisi pour héros, par exemple... Malesherbes[6], le vertueux Malesherbes ? son dernier jour, son supplice ? Oh ! alors, beau et noble spectacle ! J'eusse pleuré, j'eusse frémi, j'eusse voulu monter sur l'échafaud avec lui.

Le philosophe. Pas moi.

Le chevalier. Ni moi. C'était un révolutionnaire, au fond, que votre M. de Malesherbes.

---

1. **Esthétique :** façon de composer une œuvre d'art ; ici : manière d'écrire.
2. **Entité :** objet qui n'existe qu'abstraitement.
3. **Qui s'adéquate :** « qui corresponde ». Le verbe est comme le reste du discours du Philosophe, pédant.
4. **Archaïsme :** imitation d'un style ancien.
5. **Personnalités :** personnages.
6. **Malesherbes :** homme politique favorable aux philosophes des Lumières et ami de Rousseau, qui défendit Louis XVI à son procès mais fut guillotiné durant la Terreur en 1794.

Le philosophe. L'échafaud de Malesherbes ne prouve rien
160 contre la peine de mort en général.

Le gros monsieur. La peine de mort ! à quoi bon s'occuper de cela ? Qu'est-ce que cela vous fait, la peine de mort ? Il faut que cet auteur soit bien mal né de venir nous donner le cauchemar à ce sujet avec son livre !

165 **Madame de Blinval.** Ah ! oui, un bien mauvais cœur !

Le gros monsieur. Il nous force à regarder dans les prisons, dans les bagnes, dans Bicêtre[1]. C'est fort désagréable. On sait bien que ce sont des cloaques[2]. Mais qu'importe à la société ?

Madame de Blinval. Ceux qui ont fait les lois n'étaient pas des
170 enfants.

Le philosophe. Ah ! cependant ! en présentant les choses avec vérité...

Le monsieur maigre. Eh ! c'est justement ce qui manque, la vérité. Que voulez-vous qu'un poète sache sur de pareilles
175 matières ? Il faudrait être au moins procureur du roi. Tenez : j'ai lu dans une citation qu'un journal faisait de ce livre, que le condamné ne dit rien quand on lui lit son arrêt de mort ! eh bien, moi, j'ai vu un condamné qui, dans ce moment-là, a poussé un grand cri. – Vous voyez.

180 **Le philosophe.** Permettez...

Le monsieur maigre. Tenez, messieurs, la guillotine, la Grève, c'est de mauvais goût. Et la preuve, c'est qu'il paraît que c'est un livre qui corrompt le goût, et vous rend incapable d'émotions pures, fraîches, naïves. Quand donc se lèveront les défenseurs de la
185 saine littérature ? Je voudrais être, et mes réquisitoires m'en donneraient peut-être le droit, membre de l'Académie française... – Voilà justement monsieur Ergaste, qui en est. Que pense-t-il du *Dernier Jour d'un condamné* ?

---

1. **Bicêtre :** prison pour les forçats.
2. **Cloaques :** égouts.

ERGASTE. Ma foi, monsieur, je ne l'ai lu ni ne le lirai. Je dînais hier
190 chez Mme de Sénange[1], et la marquise de Morival en a parlé au duc de Melcour. On dit qu'il y a des personnalités contre la magistrature, et surtout contre le président d'Alimont. L'abbé de Floricour aussi était indigné. Il paraît qu'il y a un chapitre contre la religion, et un chapitre contre la monarchie. Si j'étais procureur du roi !...

195 **LE CHEVALIER.** Ah bien oui, procureur du roi ! et la Charte[2] ! et la liberté de la presse[3] ! Cependant, un poète qui veut supprimer la peine de mort, vous conviendrez que c'est odieux. Ah ! ah ! dans l'Ancien Régime, quelqu'un qui se serait permis de publier un roman contre la torture !... – Mais depuis la prise de la Bastille, on
200 peut tout écrire. Les livres font un mal affreux.

LE GROS MONSIEUR. Affreux. – On était tranquille, on ne pensait à rien. Il se coupait bien de temps en temps en France une tête par-ci par-là, deux tout au plus par semaine. Tout cela sans bruit, sans scandale. Ils ne disaient rien. Personne n'y songeait. Pas du tout,
205 voilà un livre... – un livre qui vous donne un mal de tête horrible !

LE MONSIEUR MAIGRE. Le moyen qu'un juré condamne après l'avoir lu !

ERGASTE. Cela trouble les consciences.

MADAME DE BLINVAL. Ah ! les livres ! les livres ! Qui eût dit cela
210 d'un roman ?

LE POÈTE. Il est certain que les livres sont bien souvent un poison subversif[4] de l'ordre social.

---

1. **Mme de Sénange :** comme les autres noms qui suivent, personnages aristocratiques imaginaires.
2. **La Charte :** Constitution établie par Louis XVIII en 1814 et modifiée par Louis-Philippe en 1834 définissant les règles de fonctionnement de la monarchie parlementaire française de la Restauration.
3. **La liberté de la presse :** la censure était encore en vigueur à l'époque de la parution du roman de Hugo et la liberté de la presse un objet de débat.
4. **Subversif :** qui cherche à renverser un ordre établi.

Le monsieur maigre. Sans compter la langue[1], que messieurs les romantiques révolutionnent aussi.

215 **Le poète.** Distinguons, monsieur ; il y a romantiques et romantiques.

Le monsieur maigre. Le mauvais goût, le mauvais goût.

Ergaste. Vous avez raison. Le mauvais goût.

Le monsieur maigre. Il n'y a rien à répondre à cela.

Le philosophe, *appuyé au fauteuil d'une dame.* Ils disent là des
220 choses qu'on ne dit même plus rue Mouffetard[2].

Ergaste. Ah ! l'abominable livre !

Madame de Blinval. Hé ! ne le jetez pas au feu. Il est à la loueuse.

Le chevalier. Parlez-moi de notre temps. Comme tout s'est dépravé depuis, le goût et les mœurs ! Vous souvient-il de notre
225 temps, Madame de Blinval ?

Madame de Blinval. Non, monsieur, il ne m'en souvient pas.

Le chevalier. Nous étions le peuple le plus doux, le plus gai, le plus spirituel. Toujours de belles fêtes, de jolis vers. C'était charmant. Y a-t-il rien de plus galant que le madrigal[3] de M. de La
230 Harpe[4] sur le grand bal que Mme la maréchale de Mailly donna en mil sept cent... l'année de l'exécution de Damiens[5] ?

Le gros monsieur, *soupirant.* Heureux temps ! Maintenant les mœurs sont horribles, et les livres aussi. C'est le beau vers de Boileau : *Et la chute des arts suit la décadence des mœurs*[6].

---

1. **La langue [...] :** c'est en effet l'usage romantique de la langue littéraire qui fit scandale, comme en témoigne la célèbre « bataille d'Hernani » où Hugo fut pris à partie pour avoir rompu avec les formes théâtrales classiques.
2. **Rue Mouffetard :** rue de Paris où se trouvait un célèbre marché populaire.
3. **Madrigal :** pièce de poésie galante.
4. **M. de La Harpe :** critique littéraire qui incarne pour les romantiques une vision de la littérature passée de mode.
5. **Damiens :** auteur d'une tentative d'assassinat de Louis XV à Versailles, qui fut écartelé en place de Grève en 1757.
6. ***Et la chute des arts suit la décadence des mœurs :*** il ne s'agit pas d'un « vers » puisque la phrase fait 14 syllabes mais d'une formule du poète Gilbert, ici faussement attribuée à Boileau.

235 **LE PHILOSOPHE,** *bas au poète.* Soupe-t-on dans cette maison ?

LE POÈTE ÉLÉGIAQUE. Oui, tout à l'heure.

LE MONSIEUR MAIGRE. Maintenant on veut abolir la peine de mort, et pour cela, on fait des romans cruels, immoraux et de mauvais goût, *Le Dernier Jour d'un condamné*, que sais-je ?

240 **LE GROS MONSIEUR.** Tenez, mon cher, ne parlons plus de ce livre atroce ; et, puisque je vous rencontre, dites-moi, que faites-vous de cet homme dont nous avons rejeté le pourvoi[1] depuis trois semaines ?

LE MONSIEUR MAIGRE. Ah ! un peu de patience ! je suis en congé
245 ici. Laissez-moi respirer. À mon retour. Si cela tarde trop pourtant, j'écrirai à mon substitut[2]...

UN LAQUAIS, *entrant.* Madame est servie.

---

1. **Pourvoi :** recours contre un jugement.
2. **Substitut :** magistrat chargé de remplacer le procureur général lors d'un procès.

LE DERNIER JOUR D'UN CONDAMNÉ

I

Bicêtre.

Condamné à mort !

Voilà cinq semaines que j'habite avec cette pensée, toujours seul avec elle, toujours glacé de sa présence, toujours courbé sous son poids !

Autrefois, car il me semble qu'il y a plutôt des années que des 5 semaines, j'étais un homme comme un autre homme. Chaque jour, chaque heure, chaque minute avait son idée. Mon esprit, jeune et riche, était plein de fantaisies. Il s'amusait à me les dérouler les unes après les autres, sans ordre et sans fin, brodant d'inépuisables arabesques cette rude et mince étoffe de la vie. C'étaient des jeunes 10 filles, de splendides chapes[1] d'évêque, des batailles gagnées, des théâtres pleins de bruit et de lumière, et puis encore des jeunes filles et de sombres promenades la nuit sous les larges bras des marronniers. C'était toujours fête dans mon imagination. Je pouvais penser à ce que je voulais, j'étais libre.

15 Maintenant je suis captif. Mon corps est aux fers dans un cachot, mon esprit est en prison dans une idée. Une horrible, une sanglante, une implacable idée ! Je n'ai plus qu'une pensée, qu'une conviction, qu'une certitude : condamné à mort !

Quoi que je fasse, elle est toujours là, cette pensée infernale, 20 comme un spectre de plomb à mes côtés, seule et jalouse, chassant toute distraction, face à face avec moi misérable, et me secouant de ses deux mains de glace quand je veux détourner la tête ou fermer les yeux. Elle se glisse sous toutes les formes où mon esprit voudrait la fuir, se mêle comme un refrain horrible à toutes les 25 paroles qu'on m'adresse, se colle avec moi aux grilles hideuses de mon cachot ; m'obsède éveillé, épie mon sommeil convulsif[2], et reparaît dans mes rêves sous la forme d'un couteau.

Je viens de m'éveiller en sursaut, poursuivi par elle et me disant : – Ah ! ce n'est qu'un rêve ! – Hé bien ! avant même que mes yeux

---

1. **Chapes :** longs manteaux portés durant la messe.
2. **Convulsif :** touché par une agitation nerveuse extrême.

30 lourds aient eu le temps de s'entr'ouvrir assez pour voir cette fatale pensée écrite dans l'horrible réalité qui m'entoure, sur la dalle mouillée et suante de ma cellule, dans les rayons pâles de ma lampe de nuit, dans la trame grossière de la toile de mes vêtements, sur la sombre figure du soldat de garde dont la giberne[1]
35 reluit à travers la grille du cachot, il me semble que déjà une voix a murmuré à mon oreille : – Condamné à mort !

II

C'était par une belle matinée d'août.

Il y avait trois jours que mon procès était entamé, trois jours que mon nom et mon crime ralliaient chaque matin une nuée[2] de spectateurs, qui venaient s'abattre sur les bancs de la salle d'audience
5 comme des corbeaux autour d'un cadavre, trois jours que toute cette fantasmagorie[3] des juges, des témoins, des avocats, des procureurs du roi, passait et repassait devant moi, tantôt grotesque, tantôt sanglante, toujours sombre et fatale. Les deux premières nuits, d'inquiétude et de terreur, je n'en avais pu dormir ; la troi-
10 sième, j'en avais dormi d'ennui et de fatigue. À minuit, j'avais laissé les jurés délibérant.

On m'avait ramené sur la paille de mon cachot, et j'étais tombé sur-le-champ dans un sommeil profond, dans un sommeil d'oubli. C'étaient les premières heures de repos depuis bien des jours.

15 J'étais encore au plus profond de ce profond sommeil lorsqu'on vint me réveiller. Cette fois il ne suffit point du pas lourd et des souliers ferrés du guichetier[4], du cliquetis de son nœud de clefs, du grincement rauque des verrous ; il fallut pour me tirer de ma

---

1. **Giberne :** sac à munitions.
2. **Nuée :** multitude.
3. **Fantasmagorie :** spectacle surnaturel produit par les illusions d'optique d'un magicien.
4. **Guichetier :** gardien de prison.

léthargie[1] sa rude voix à mon oreille et sa main rude sur mon
20 bras. – Levez-vous donc ! – J'ouvris les yeux, je me dressai effaré sur mon séant. En ce moment, par l'étroite et haute fenêtre de ma cellule, je vis au plafond du corridor voisin, seul ciel qu'il me fût donné d'entrevoir, ce reflet jaune où des yeux habitués aux ténèbres d'une prison savent si bien reconnaître le soleil. J'aime le
25 soleil.

– Il fait beau, dis-je au guichetier.

Il resta un moment sans me répondre, comme ne sachant si cela valait la peine de dépenser une parole ; puis avec quelque effort il murmura brusquement :

30 – C'est possible.

Je demeurais immobile, l'esprit à demi endormi, la bouche souriante, l'œil fixé sur cette douce réverbération dorée qui diaprait[2] le plafond.

– Voilà une belle journée, répétai-je.

35 – Oui, me répondit l'homme, on vous attend.

Ce peu de mots, comme le fil qui rompt le vol de l'insecte, me rejeta violemment dans la réalité. Je revis soudain, comme dans la lumière d'un éclair, la sombre salle des assises[3], le fer à cheval des juges[4] chargés de haillons[5] ensanglantés, les trois rangs de témoins
40 aux faces stupides, les deux gendarmes aux deux bouts de mon banc, et les robes noires s'agiter et les têtes de la foule fourmiller au fond dans l'ombre, et s'arrêter sur moi le regard fixe de ces douze jurés, qui avaient veillé pendant que je dormais !

Je me levai ; mes dents claquaient, mes mains tremblaient et ne
45 savaient où trouver mes vêtements, mes jambes étaient faibles. Au premier pas que je fis, je trébuchai comme un portefaix[6] trop chargé. Cependant je suivis le geôlier.

---

1. **Léthargie :** état de sommeil très profond.
2. **Diaprait :** décorait de multiples couleurs.
3. **Assises :** lieu de réunion du tribunal pour les crimes graves.
4. **Le fer à cheval des juges :** les sièges des juges étaient disposés en forme de demi-cercle.
5. **Haillons :** vêtements extrêmement usés.
6. **Portefaix :** homme dont le métier consiste à porter des fardeaux.

Les deux gendarmes m'attendaient au seuil de la cellule. On me remit les menottes. Cela avait une petite serrure compliquée qu'ils fer-
50 mèrent avec soin. Je laissai faire : c'était une machine sur une machine.

Nous traversâmes une cour intérieure. L'air vif du matin me ranima. Je levai la tête. Le ciel était bleu, et les rayons chauds du soleil, découpés par les longues cheminées, traçaient de grands angles de lumière au faîte des murs hauts et sombres de la prison.
55 Il faisait beau en effet.

Nous montâmes un escalier tournant en vis ; nous passâmes un corridor, puis un autre, puis un troisième ; puis une porte basse s'ouvrit. Un air chaud, mêlé de bruit, vint me frapper au visage ; c'était le souffle de la foule dans la salle des assises. J'entrai.

60 Il y eut à mon apparition une rumeur d'armes et de voix. Les banquettes se déplacèrent bruyamment. Les cloisons craquèrent ; et, pendant que je traversais la longue salle entre deux masses de peuple murées de soldats, il me semblait que j'étais le centre auquel se rattachaient les fils qui faisaient mouvoir toutes ces faces
65 béantes et penchées.

En cet instant je m'aperçus que j'étais sans fers[1] ; mais je ne pus me rappeler où ni quand on me les avait ôtés.

Alors il se fit un grand silence. J'étais parvenu à ma place. Au moment où le tumulte cessa dans la foule, il cessa aussi dans
70 mes idées. Je compris tout à coup clairement ce que je n'avais fait qu'entrevoir confusément jusqu'alors, que le moment décisif était venu, et que j'étais là pour entendre ma sentence.

L'explique qui pourra, de la manière dont cette idée me vint elle ne me causa pas de terreur. Les fenêtres étaient ouvertes ; l'air et le
75 bruit de la ville arrivaient librement du dehors ; la salle était claire comme pour une noce ; les gais rayons du soleil traçaient çà et là la figure lumineuse des croisées[2], tantôt allongée sur le plancher, tantôt développée sur les tables, tantôt brisée à l'angle des murs ; et de ces losanges éclatants aux fenêtres chaque rayon découpait
80 dans l'air un grand prisme[3] de poussière d'or.

---

1. **Fers :** chaînes pour attacher les prisonniers.
2. **Croisées :** grandes fenêtres.
3. **Prisme :** morceau de verre taillé en sorte de décomposer la lumière en ses différentes couleurs.

Les juges, au fond de la salle, avaient l'air satisfait, probablement de la joie d'avoir bientôt fini. Le visage du président, doucement éclairé par le reflet d'une vitre, avait quelque chose de calme et de bon ; et un jeune assesseur[1] causait presque gaiement en chiffonnant son rabat[2] avec une jolie dame en chapeau rose, placée par faveur derrière lui.

Les jurés seuls paraissaient blêmes[3] et abattus, mais c'était apparemment de fatigue d'avoir veillé toute la nuit. Quelques-uns bâillaient. Rien, dans leur contenance, n'annonçait des hommes qui viennent de porter une sentence de mort ; et sur les figures de ces bons bourgeois je ne devinais qu'une grande envie de dormir.

En face de moi, une fenêtre était toute grande ouverte. J'entendais rire sur le quai des marchandes de fleurs ; et, au bord de la croisée, une jolie petite plante jaune, toute pénétrée d'un rayon de soleil, jouait avec le vent dans une fente de la pierre.

Comment une idée sinistre aurait-elle pu poindre parmi tant de gracieuses sensations ? Inondé d'air et de soleil, il me fut impossible de penser à autre chose qu'à la liberté ; l'espérance vint rayonner en moi comme le jour autour de moi ; et, confiant, j'attendis ma sentence comme on attend la délivrance et la vie.

Cependant mon avocat arriva. On l'attendait. Il venait de déjeuner copieusement et de bon appétit. Parvenu à sa place, il se pencha vers moi avec un sourire.

– J'espère, me dit-il.

– N'est-ce pas ? répondis-je, léger et souriant aussi.

– Oui, reprit-il ; je ne sais rien encore de leur déclaration, mais ils auront sans doute écarté la préméditation, et alors ce ne sera que les travaux forcés à perpétuité.

– Que dites-vous là, monsieur ? répliquai-je, indigné ; plutôt cent fois la mort !

Oui, la mort ! – Et d'ailleurs, me répétait je ne sais quelle voix intérieure, qu'est-ce que je risque à dire cela ? A-t-on jamais prononcé sentence de mort autrement qu'à minuit, aux flambeaux, dans une salle sombre et noire, et par une froide nuit de pluie et d'hiver ? Mais au mois d'août, à huit heures du matin, un si beau

---

1. **Assesseur :** personne chargée d'aider le magistrat.
2. **Rabat :** partie de la robe du juge qui se rabat sur sa poitrine.
3. **Blêmes :** très pâles.

jour, ces bons jurés, c'est impossible ! Et mes yeux revenaient se fixer sur la jolie fleur jaune au soleil.

Tout à coup le président, qui n'attendait que l'avocat, m'invita à me lever. La troupe porta les armes ; comme par un mouvement électrique, toute l'assemblée fut debout au même instant. Une figure insignifiante et nulle, placée à une table au-dessous du tribunal, c'était, je pense, le greffier[1], prit la parole, et lut le verdict que les jurés avaient prononcé en mon absence. Une sueur froide sortit de tous mes membres ; je m'appuyai au mur pour ne pas tomber.

– Avocat, avez-vous quelque chose à dire sur l'application de la peine ? demanda le président.

J'aurais eu, moi, tout à dire, mais rien ne me vint. Ma langue resta collée à mon palais.

Le défenseur se leva.

Je compris qu'il cherchait à atténuer la déclaration du jury, et à mettre dessous, au lieu de la peine qu'elle provoquait, l'autre peine, celle que j'avais été si blessé de lui voir espérer.

Il fallut que l'indignation fût bien forte, pour se faire jour à travers les mille émotions qui se disputaient ma pensée. Je voulus répéter à haute voix ce que je lui avais déjà dit : Plutôt cent fois la mort ! Mais l'haleine me manqua, et je ne pus que l'arrêter rudement par le bras, en criant avec une force convulsive : Non !

Le procureur général combattit l'avocat, et je l'écoutai avec une satisfaction stupide. Puis les juges sortirent, puis ils rentrèrent, et le président me lut mon arrêt.

– Condamné à mort ! dit la foule ; et, tandis qu'on m'emmenait, tout ce peuple se rua sur mes pas avec le fracas d'un édifice qui se démolit. Moi, je marchais, ivre et stupéfait. Une révolution venait de se faire en moi. Jusqu'à l'arrêt de mort, je m'étais senti respirer, palpiter, vivre dans le même milieu que les autres hommes ; maintenant je distinguais clairement comme une clôture entre le monde et moi. Rien ne m'apparaissait plus sous le même aspect qu'auparavant. Ces larges fenêtres lumineuses, ce beau soleil, ce ciel pur, cette jolie fleur, tout cela était blanc et pâle, de la couleur d'un linceul. Ces hommes, ces femmes, ces enfants qui se pressaient sur mon passage, je leur trouvais des airs de fantômes.

---

1. **Le greffier :** assistant des magistrats chargé de prendre en note le procès.

Au bas de l'escalier, une noire et sale voiture grillée m'attendait. Au moment d'y monter, je regardai au hasard dans la place. – Un condamné à mort ! criaient les passants en courant vers la voiture. À travers le nuage qui me semblait s'être interposé entre les choses et moi, je distinguai deux jeunes filles qui me suivaient avec des yeux avides. – Bon, dit la plus jeune en battant des mains, ce sera dans six semaines !

III

Condamné à mort !

Eh bien, pourquoi non ? Les hommes, je me rappelle l'avoir lu dans je ne sais quel livre[1] où il n'y avait que cela de bon, les hommes sont tous condamnés à mort avec des sursis indéfinis. Qu'y a-t-il donc de si changé à ma situation ?

Depuis l'heure où mon arrêt m'a été prononcé, combien sont morts qui s'arrangeaient pour une longue vie ! Combien m'ont devancé qui, jeunes, libres et sains, comptaient bien aller voir tel jour tomber ma tête en place de Grève ! Combien d'ici là peut-être qui marchent et respirent au grand air, entrent et sortent à leur gré, et qui me devanceront encore !

Et puis, qu'est-ce que la vie a donc de si regrettable pour moi ? En vérité, le jour sombre et le pain noir du cachot, la portion de bouillon maigre puisée au baquet[2] des galériens, être rudoyé[3], moi qui suis raffiné par l'éducation, être brutalisé des guichetiers[4] et des gardes-chiourme[5], ne pas voir un être humain qui me croie digne d'une parole et à qui je le rende, sans cesse tressaillir et de ce

---

1. **Je ne sais quel livre :** il s'agit de *Han d'Islande*, le premier roman de Hugo, dont la citation est volontairement inexacte.
2. **Baquet :** récipient où était servie la nourriture collective des galériens.
3. **Rudoyé :** malmené, disputé.
4. **Guichetiers :** voir note 4, page 61.
5. **Gardes-chiourme :** terme qui qualifie péjorativement les gardiens de prison.

que j'ai fait et de ce qu'on me fera : voilà à peu près les seuls biens que puisse m'enlever le bourreau.
20 Ah, n'importe, c'est horrible !

IV

La voiture noire me transporta ici, dans ce hideux Bicêtre.
Vu de loin, cet édifice a quelque majesté. Il se déroule à l'horizon, au front d'une colline, et à distance garde quelque chose de son ancienne splendeur, un air de château de roi. Mais à mesure
5 que vous approchez, le palais devient masure. Les pignons[1] dégradés blessent l'œil. Je ne sais quoi de honteux et d'appauvri salit ces royales façades, on dirait que les murs ont une lèpre. Plus de vitres, plus de glaces aux fenêtres ; mais de massifs barreaux de fer entrecroisés, auxquels se colle çà et là quelque hâve[2] figure d'un
10 galérien ou d'un fou.
C'est la vie vue de près.

V

À peine arrivé, des mains de fer s'emparèrent de moi. On multiplia les précautions ; point de couteau, point de fourchette pour mes repas, la *camisole de force*[3], une espèce de sac de toile à voilure, emprisonna mes bras ; on répondait de ma vie. Je m'étais
5 pourvu en cassation[4]. On pouvait avoir pour six ou sept semaines

1. **Pignons :** le pignon est la partie supérieure d'un mur ayant la forme d'un triangle.
2. **Hâve :** très pâle.
3. ***Camisole de force :*** vêtement serré et muni de liens utilisé pour emprisonner une personne.
4. **Je m'étais pourvu en cassation :** j'avais fait appel d'un jugement.

cette affaire onéreuse, et il importait de me conserver sain et sauf à la place de Grève.

Les premiers jours on me traita avec une douceur qui m'était horrible. Les égards d'un guichetier sentent l'échafaud. Par bonheur, au bout de peu de jours, l'habitude reprit le dessus ; ils me confondirent avec les autres prisonniers dans une commune brutalité, et n'eurent plus de ces distinctions inaccoutumées de politesse qui me remettaient sans cesse le bourreau sous les yeux. Ce ne fut pas la seule amélioration. Ma jeunesse, ma docilité[1], les soins de l'aumônier de la prison, et surtout quelques mots en latin que j'adressai au concierge, qui ne les comprit pas, m'ouvrirent la promenade une fois par semaine avec les autres détenus, et firent disparaître la camisole où j'étais paralysé. Après bien des hésitations, on m'a aussi donné de l'encre, du papier, des plumes, et une lampe de nuit.

Tous les dimanches, après la messe, on me lâche dans le préau, à l'heure de la récréation. Là, je cause avec les détenus : il le faut bien. Ils sont bonnes gens, les misérables. Ils me content leurs *tours*, ce serait à faire horreur, mais je sais qu'ils se vantent. Ils m'apprennent à parler argot, à *rouscailler bigorne*, comme ils disent. C'est toute une langue entée[2] sur la langue générale comme une espèce d'excroissance hideuse, comme une verrue. Quelquefois une énergie singulière, un pittoresque effrayant : *il y a du raisiné sur le trimar* (du sang sur le chemin), *épouser la veuve* (être pendu), comme si la corde du gibet était veuve de tous les pendus. La tête d'un voleur a deux noms : *la sorbonne,* quand elle médite, raisonne et conseille le crime ; *la tronche,* quand le bourreau la coupe. Quelquefois de l'esprit de vaudeville[3] : *un cachemire d'osier* (une hotte de chiffonnier), *la menteuse* (la langue) ; et puis partout, à chaque instant, des mots bizarres, mystérieux, laids et sordides[4], venus on ne sait d'où : *le taule* (le bourreau), *la cône* (la mort), *la placarde* (la place des exécutions). On dirait des crapauds et des araignées. Quand on entend parler cette langue, cela fait l'effet de

1. **Docilité :** absence de toute violence.
2. **Entée :** greffée, ajoutée.
3. **Vaudeville :** comédie de mœurs au ton léger.
4. **Sordides :** dégoûtants, négligés.

quelque chose de sale et de poudreux[1], d'une liasse de haillons que
40 l'on secouerait devant vous.

Du moins, ces hommes-là me plaignent, ils sont les seuls. Les geôliers, les guichetiers, les porte-clefs[2] – je ne leur en veux pas – causent et rient, et parlent de moi, devant moi, comme d'une chose.

VI

Je me suis dit :

– Puisque j'ai le moyen d'écrire, pourquoi ne le ferais-je pas ? Mais quoi écrire ? Pris entre quatre murailles de pierre nue et froide, sans liberté pour mes pas, sans horizon pour mes yeux,
5 pour unique distraction machinalement occupé tout le jour à suivre la marche lente de ce carré blanchâtre que le judas[3] de ma porte découpe vis-à-vis sur le mur sombre, et, comme je le disais tout à l'heure, seul à seul avec une idée, une idée de crime et de châtiment, de meurtre et de mort ! est-ce que je puis avoir quelque
10 chose à dire, moi qui n'ai plus rien à faire dans ce monde ? Et que trouverai-je dans ce cerveau flétri[4] et vide qui vaille la peine d'être écrit ?

Pourquoi non ? Si tout, autour de moi, est monotone et décoloré, n'y a-t-il pas en moi une tempête, une lutte, une tragédie ? Cette
15 idée fixe qui me possède ne se présente-t-elle pas à moi à chaque heure, à chaque instant, sous une nouvelle forme, toujours plus hideuse et plus ensanglantée à mesure que le terme approche ? Pourquoi n'essaierais-je pas de me dire à moi-même tout ce que j'éprouve de violent et d'inconnu dans la situation abandonnée où
20 me voilà ? Certes, la matière est riche[5] ; et, si abrégée que soit ma

---

1. **Poudreux :** poussiéreux, misérable.
2. **Porte-clefs :** gardiens chargés de porter les clés des prisons.
3. **Judas :** trou placé dans une porte servant à observer sans être vu.
4. **Flétri :** se dit d'une fleur ayant perdu sa fraîcheur.
5. **La matière est riche :** comprendre « le sujet est vaste ».

vie, il y aura bien encore dans les angoisses, dans les terreurs, dans les tortures qui la rempliront, de cette heure à la dernière, de quoi user cette plume et tarir cet encrier. – D'ailleurs, ces angoisses, le seul moyen d'en moins souffrir, c'est de les observer, et les peindre
25 m'en distraira.

Et puis, ce que j'écrirai ainsi ne sera peut-être pas inutile. Ce journal de mes souffrances, heure par heure, minute par minute, supplice par supplice, si j'ai la force de le mener jusqu'au moment où il me sera *physiquement* impossible de continuer, cette histoire,
30 nécessairement inachevée, mais aussi complète que possible, de mes sensations, ne portera-t-elle point avec elle un grand et profond enseignement ? N'y aura-t-il pas dans ce procès-verbal de la pensée agonisante, dans cette progression toujours croissante de douleurs, dans cette espèce d'autopsie intellectuelle d'un
35 condamné, plus d'une leçon pour ceux qui condamnent ? Peut-être cette lecture leur rendra-t-elle la main moins légère, quand il s'agira quelque autre fois de jeter une tête qui pense, une tête d'homme, dans ce qu'ils appellent la balance de la justice ? Peut-être n'ont-ils jamais réfléchi, les malheureux, à cette lente succes-
40 sion de tortures que renferme la formule expéditive d'un arrêt de mort ? Se sont-ils jamais seulement arrêtés à cette idée poignante que dans l'homme qu'ils retranchent il y a une intelligence ; une intelligence qui avait compté sur la vie, une âme qui ne s'est point disposée pour la mort ? Non. Ils ne voient dans tout cela que la
45 chute verticale d'un couteau triangulaire, et pensent sans doute que pour le condamné il n'y a rien avant, rien après.

Ces feuilles les détromperont. Publiées peut-être un jour, elles arrêteront quelques moments leur esprit sur les souffrances de l'esprit ; car ce sont celles-là qu'ils ne soupçonnent pas. Ils sont triomphants
50 de pouvoir tuer sans presque faire souffrir le corps. Hé ! c'est bien de cela qu'il s'agit ! Qu'est-ce que la douleur physique près de la douleur morale ! Horreur et pitié, des lois faites ainsi ! Un jour viendra, et peut-être ces mémoires, derniers confidents d'un misérable, y auront-ils contribué...

55 À moins qu'après ma mort le vent ne joue dans le préau avec ces morceaux de papier souillés de boue, ou qu'ils n'aillent pourrir à la pluie, collés en étoiles à la vitre cassée d'un guichetier.

Clefs d'analyse

Le Dernier Jour d'un condamné, chap. VI

Action et personnages

1. À qui parle le narrateur ? Pourquoi ? Relevez les mots qui décrivent sa situation concrète (adverbes de temps et de lieu, compléments circonstanciels).
2. Comment le narrateur décrit-il sa situation ? Quelles sont les images qu'il emploie ?
3. Que cherche à nous expliquer le narrateur ? Avec quels arguments ?
4. Quels autres personnages que le narrateur apparaissent dans ce texte ? Pourquoi ?

Langue

5. Quelles tournures de phrases dominent dans le passage ? Pourquoi ?
6. Expliquez l'expression « l'autopsie intellectuelle d'un condamné » (lignes 34-35).
7. Que pensez-vous de l'expression « tarir cet encrier » (ligne 23) ? Quelles autres hyperboles (exagérations) pouvez-vous remarquer dans ce paragraphe ?
8. Relevez et classez tous les mots qui appartiennent au registre de la souffrance dans ce chapitre.
9. Quel est la forme verbale employée dans le dernier paragraphe ? Pourquoi ?
10. Exprimez le mot « physiquement » (ligne 29). Pourquoi est-il en italiques dans le texte ?

Genre ou thèmes

11. Quel est le registre, c'est-à-dire la tonalité générale dominante du passage ?
12. Connaissez-vous d'autres textes littéraires de Victor Hugo où apparaît le thème de la « tempête » ?

Écriture

13. Vous imaginerez la réaction d'un gardien découvrant par hasard le journal du condamné et apitoyé par sa lecture.

Pour aller plus loin

14. Quel genre littéraire évoque le narrateur ? *Le Dernier Jour d'un condamné* correspond-il exactement à ce genre ?
15. Dans l'ensemble du roman et du projet de Victor Hugo, ce chapitre est important pour plusieurs raisons. Expliquez lesquelles.
16. Comment le narrateur imagine-t-il le devenir de son récit ? Quelles hypothèses envisage-t-il ? La publication lui offre-t-elle un véritable espoir ? Quelle est l'utilité de son témoignage ?
17. Que pensez-vous de ce condamné ? Vous fait-il l'impression d'être un criminel ordinaire ?
18. Dans ce passage, quels sont nos sentiments à l'égard du personnage ? Peut-on s'y identifier ? Si oui, pourquoi ?

✻ *À retenir*

Les critiques de Victor Hugo ont souvent accusé l'écrivain d'avoir écrit un roman artificiel et invraisemblable. Dans ce chapitre, le condamné cherche à expliquer son récit en décrivant ses souffrances et la nécessité vitale qu'il a d'écrire. Il écrit alors à la fois pour donner du sens aux heures qui lui restent à vivre et pour essayer de tirer la société de son indifférence coupable à l'égard de la peine de mort.

VII

Que ce que j'écris ici puisse être un jour utile à d'autres, que cela arrête le juge prêt à juger, que cela sauve des malheureux, innocents ou coupables, de l'agonie à laquelle je suis condamné, pourquoi ? à quoi bon ? qu'importe ? Quand ma tête aura été cou-
5 pée, qu'est-ce que cela me fait qu'on en coupe d'autres ? Est-ce que vraiment j'ai pu penser ces folies ? Jeter bas[1] l'échafaud après que j'y aurai monté ! je vous demande un peu ce qui m'en reviendra[2].

Quoi ! le soleil, le printemps, les champs pleins de fleurs, les oiseaux qui s'éveillent le matin, les nuages, les arbres, la nature, la
10 liberté, la vie, tout cela n'est plus à moi !

Ah ! c'est moi qu'il faudrait sauver ! – Est-il bien vrai que cela ne se peut, qu'il faudra mourir demain, aujourd'hui peut-être, que cela est ainsi ? Ô Dieu ! l'horrible idée à se briser la tête au mur de son cachot !

VIII

Comptons ce qui me reste :

Trois jours de délai après l'arrêt prononcé pour le pourvoi en cassation.

Huit jours d'oubli au parquet de la cour d'assises, après quoi les
5 *pièces*, comme ils disent, sont envoyées au ministre.

Quinze jours d'attente chez le ministre, qui ne sait seulement pas qu'elles existent, et qui cependant est supposé les transmettre, après examen, à la cour de cassation.

Là, classement, numérotage, enregistrement ; car la guillotine est
10 encombrée, et chacun ne doit passer qu'à son tour.

---

1. **Jeter bas :** renverser.
2. **Ce qu'il m'en reviendra :** ce que cela me rapportera.

Quinze jours pour veiller à ce qu'il ne vous soit pas fait de passe-droit[1].

Enfin la cour s'assemble, d'ordinaire, un jeudi, rejette vingt pourvois en masse, et renvoie le tout au ministre, qui renvoie au procureur général, qui renvoie au bourreau. Trois jours.

Le matin du quatrième jour, le substitut du procureur général se dit, en mettant sa cravate : – Il faut pourtant que cette affaire finisse. – Alors, si le substitut du greffier n'a pas quelque déjeuner d'amis qui l'en empêche, l'ordre d'exécution est minuté, rédigé, mis au net, expédié, et le lendemain dès l'aube on entend dans la place de Grève clouer une charpente, et dans les carrefours hurler à pleine voix des crieurs[2] enroués.

En tout six semaines. La petite fille avait raison.

Or, voilà cinq semaines au moins, six peut-être, je n'ose compter, que je suis dans ce cabanon de Bicêtre, et il me semble qu'il y a trois jours c'était jeudi.

IX

Je viens de faire mon testament.

À quoi bon ? Je suis condamné aux frais[3], et tout ce que j'ai y suffira à peine. La guillotine, c'est fort cher.

Je laisse une mère, je laisse une femme, je laisse un enfant.

Une petite fille de trois ans, douce, rose, frêle, avec de grands yeux noirs et de longs cheveux châtains.

Elle avait deux ans et un mois quand je l'ai vue pour la dernière fois.

Ainsi, après ma mort, trois femmes, sans fils, sans mari, sans père ; trois orphelines de différente espèce ; trois veuves du fait de la loi.

---

1. **Passe-droit :** avantage illégal.
2. **Crieurs :** personnes chargées d'annoncer les exécutions publiques en criant dans les rues.
3. **Condamné aux frais :** condamné à rembourser les frais de son exécution.

J'admets que je sois justement puni ; ces innocentes, qu'ont-elles fait ? N'importe ; on les déshonore, on les ruine. C'est la justice.

Ce n'est pas que ma pauvre vieille mère m'inquiète ; elle a soixante-quatre ans, elle mourra du coup. Ou si elle va quelques jours encore, pourvu que jusqu'au dernier moment elle ait un peu de cendre chaude dans sa chaufferette[1], elle ne dira rien.

Ma femme ne m'inquiète pas non plus ; elle est déjà d'une mauvaise santé et d'un esprit faible. Elle mourra aussi.

À moins qu'elle ne devienne folle. On dit que cela fait vivre ; mais, du moins, l'intelligence ne souffre pas ; elle dort, elle est comme morte.

Mais ma fille, mon enfant, ma pauvre petite Marie, qui rit, qui joue, qui chante à cette heure et ne pense à rien, c'est celle-là qui me fait mal !

Voici ce que c'est que mon cachot :

Huit pieds carrés[2]. Quatre murailles de pierre de taille[3] qui s'appuient à angle droit sur un pavé de dalles exhaussé d'un degré[4] au-dessus du corridor extérieur.

À droite de la porte, en entrant, une espèce d'enfoncement qui fait la dérision d'une alcôve[5]. On y jette une botte de paille où le prisonnier est censé reposer et dormir, vêtu d'un pantalon de toile et d'une veste de coutil[6], hiver comme été.

Au-dessus de ma tête, en guise de ciel, une noire voûte en *ogive* – c'est ainsi que cela s'appelle – à laquelle d'épaisses toiles d'araignée pendent comme des haillons.

---

1. **Chaufferette :** sorte de petite boîte où l'on place de la braise pour se chauffer les pieds.
2. **Huit pieds carrés :** un pied fait environ 33 cm.
3. **Pierre de taille :** pierre grossièrement taillée.
4. **Un degré :** une marche.
5. **Alcôve :** renfoncement d'une pièce où est installé un lit.
6. **Coutil :** tissu de toile généralement en lin.

Du reste, pas de fenêtres, pas même de soupirail. Une porte où le fer cache le bois.

Je me trompe ; au centre de la porte, vers le haut, une ouverture de neuf pouces[1] carrés, coupée d'une grille en croix, et que le guichetier peut fermer la nuit.

Au-dehors, un assez long corridor éclairé, aéré au moyen de soupiraux étroits au haut du mur et divisé en compartiments de maçonnerie qui communiquent entre eux par une série de portes cintrées[2] et basses ; chacun de ces compartiments sert en quelque sorte d'antichambre[3] à un cachot pareil au mien. C'est dans ces cachots que l'on met les forçats condamnés par le directeur de la prison à des peines de discipline. Les trois premiers cabanons sont réservés aux condamnés à mort, parce qu'étant plus voisins de la geôle ils sont plus commodes[4] pour le geôlier.

Ces cachots sont tout ce qui reste de l'ancien château de Bicêtre tel qu'il fut bâti dans le quinzième siècle par le cardinal de Winchester, le même qui fit brûler Jeanne d'Arc. J'ai entendu dire cela à des *curieux* qui sont venus me voir l'autre jour dans ma loge, et qui me regardaient à distance comme une bête de la ménagerie. Le guichetier a eu cent sous.

J'oubliais de dire qu'il y a nuit et jour un factionnaire[5] de garde à la porte de mon cachot, et que mes yeux ne peuvent se lever vers la lucarne carrée sans rencontrer ses deux yeux fixes toujours ouverts.

Du reste, on suppose qu'il y a de l'air et du jour dans cette boîte de pierre.

---

1. **Pouces :** un pouce équivaut à environ 3 cm.
2. **Cintrées :** ayant la forme d'un arc de cercle.
3. **Antichambre :** pièce d'entrée d'un appartement.
4. **Commodes :** pratiques d'accès.
5. **Factionnaire :** surveillant.

XI

Puisque le jour ne paraît pas encore, que faire de la nuit ? Il m'est venu une idée. Je me suis levé et j'ai promené ma lampe sur les quatre murs de ma cellule. Ils sont couverts d'écritures, de dessins, de figures bizarres, de noms qui se mêlent et s'effacent les
5 uns les autres. Il semble que chaque condamné ait voulu laisser trace, ici du moins. C'est du crayon, de la craie, du charbon, des lettres noires, blanches, grises, souvent de profondes entailles dans la pierre, çà et là des caractères rouillés qu'on dirait écrits avec du sang. Certes, si j'avais l'esprit plus libre, je prendrais intérêt à ce
10 livre étrange qui se développe page à page à mes yeux sur chaque pierre de ce cachot. J'aimerais à recomposer un tout de ces fragments de pensée, épars sur la dalle ; à retrouver chaque homme sous chaque nom ; à rendre le sens et la vie à ces inscriptions mutilées, à ces phrases démembrées, à ces mots tronqués, corps
15 sans tête comme ceux qui les ont écrits.

À la hauteur de mon chevet, il y a deux cœurs enflammés, percés d'une flèche, et au-dessus : *Amour pour la vie.* Le malheureux ne prenait pas un long engagement.

À côté, une espèce de chapeau à trois cornes avec une petite
20 figure grossièrement dessinée au-dessous, et ces mots : *Vive l'Empereur*[1] *! 1824.*

Encore des cœurs enflammés, avec cette inscription, caractéristique dans une prison : *J'aime et j'adore Mathieu Danvin.* JACQUES.

Sur le mur opposé on lit ce nom : *Papavoine*[2]. Le *P* majuscule est
25 brodé d'arabesques et enjolivé avec soin.

Un couplet d'une chanson obscène.

Un bonnet de liberté sculpté assez profondément dans la pierre, avec ceci dessous : – *Bories*[3]. – *La République.* C'était un des quatre sous-officiers de La Rochelle. Pauvre jeune homme ! Que leurs
30 prétendues nécessités politiques sont hideuses ! pour une idée,

1. **L'Empereur :** Napoléon Bonaparte. L'inscription est ironique, car Napoléon est mort en 1821.
2. **Papavoine :** tueur d'enfants exécuté en 1825.
3. **Bories :** l'un des quatre sergents de La Rochelle.

pour une rêverie, pour une abstraction, cette horrible réalité qu'on appelle la guillotine ! Et moi qui me plaignais, moi, misérable qui ai commis un véritable crime, qui ai versé du sang !

Je n'irai pas plus loin dans ma recherche. – Je viens de voir, 35 crayonnée en blanc au coin du mur, une image épouvantable, la figure de cet échafaud qui, à l'heure qu'il est, se dresse peut-être pour moi. – La lampe a failli me tomber des mains.

XII

Je suis revenu m'asseoir précipitamment sur ma paille, la tête dans les genoux. Puis mon effroi d'enfant s'est dissipé, et une étrange curiosité m'a repris de continuer la lecture de mon mur.

À côté du nom de Papavoine j'ai arraché une énorme toile 5 d'araignée, tout épaissie par la poussière et tendue à l'angle de la muraille. Sous cette toile il y avait quatre ou cinq noms parfaitement lisibles, parmi d'autres dont il ne reste rien qu'une tache sur le mur. – Dautin[1], 1815. – Poulain[2], 1818. Jean Martin[3], 1821. – Castaing[4], 1823. J'ai lu ces noms, et de lugubres 10 souvenirs me sont venus : Dautun, celui qui a coupé son frère en quartiers, et qui allait la nuit dans Paris jetant la tête dans une fontaine et le tronc dans un égout ; Poulain, celui qui a assassiné sa femme ; Jean Martin, celui qui a tiré un coup de pistolet à son père au moment où le vieillard ouvrait 15 une fenêtre ; Castaing, ce médecin qui a empoisonné son ami, et qui, le soignant dans cette dernière maladie qu'il lui avait faite, au lieu de remède lui redonnait du poison ; et auprès de ceux-là, Papavoine, l'horrible fou qui tuait les enfants à coups de couteau sur la tête !

---

1. **Dautin :** assassin fratricide, exécuté en 1815.
2. **Poulain :** condamné exécuté en 1817 pour une tentative de meurtre.
3. **Jean martin :** Pierre-Louis Martin (et non « Jean »), exécuté en 1820 pour avoir tiré sur son père.
4. **Castaing :** condamné à mort pour un double meurtre et exécuté en 1823.

Voilà, me disais-je, et un frisson de fièvre me montait dans les reins, voilà quels ont été avant moi les hôtes de cette cellule. C'est ici, sur la même dalle où je suis, qu'ils ont pensé leurs dernières pensées, ces hommes de meurtre et de sang ! c'est autour de ce mur, dans ce carré étroit, que leurs derniers pas ont tourné comme ceux d'une bête fauve. Ils se sont succédé à de courts intervalles ; il paraît que ce cachot ne désemplit pas. Ils ont laissé la place chaude, et c'est à moi qu'ils l'ont laissée. J'irai à mon tour les rejoindre au cimetière de Clamart, où l'herbe pousse si bien !

Je ne suis ni visionnaire[1], ni superstitieux. Il est probable que ces idées me donnaient un accès de fièvre ; mais pendant que je rêvais ainsi, il m'a semblé tout à coup que ces noms fatals étaient écrits avec du feu sur le mur noir ; un tintement de plus en plus précipité a éclaté dans mes oreilles ; une lueur rousse a rempli mes yeux ; et puis il m'a paru que le cachot était plein d'hommes, d'hommes étranges qui portaient leur tête dans leur main gauche, et la portaient par la bouche, parce qu'il n'y avait pas de chevelure. Tous me montraient le poing, excepté le parricide[2].

J'ai fermé les yeux avec horreur, alors j'ai tout vu plus distinctement.

Rêve, vision ou réalité, je serais devenu fou, si une impression brusque ne m'eût réveillé à temps. J'étais près de tomber à la renverse lorsque j'ai senti se traîner sur mon pied nu un ventre froid et des pattes velues ; c'était l'araignée que j'avais dérangée et qui s'enfuyait.

Cela m'a dépossédé[3]. – Ô les épouvantables spectres ! – Non, c'était une fumée, une imagination de mon cerveau vide et convulsif. Chimère à la Macbeth[4] ! Les morts sont morts, ceux-là surtout. Ils sont bien cadenassés dans le sépulcre[5]. Ce n'est pas là une prison dont on s'évade. Comment se fait-il donc que j'aie eu peur ainsi ?

La porte du tombeau ne s'ouvre pas en dedans.

---

1. **Visionnaire :** ici, « qui a des idées extravagantes ».
2. **Excepté le parricide :** les parricides avaient traditionnellement le poing coupé avant leur exécution.
3. **Dépossédé :** rendu fou.
4. **Macbeth :** personnage éponyme principal de la tragédie de Shakespeare et dont l'imagination est hantée par la vision de spectres.
5. **Sépulcre :** tombeau.

XIII

J'ai vu, ces jours passés, une chose hideuse.

Il était à peine jour, et la prison était pleine de bruit. On entendait ouvrir et fermer les lourdes portes, grincer les verrous et les cadenas de fer, carillonner les trousseaux de clefs entrechoqués à la ceinture des geôliers, trembler les escaliers du haut en bas sous des pas précipités, et des voix s'appeler et se répondre des deux bouts des longs corridors. Mes voisins de cachot, les forçats en punition, étaient plus gais qu'à l'ordinaire. Tout Bicêtre semblait rire, chanter, courir danser.

Moi, seul muet dans ce vacarme, seul immobile dans ce tumulte, étonné et attentif, j'écoutais.

Un geôlier passa.

Je me hasardai à l'appeler et à lui demander si c'était fête dans la prison.

– Fête si l'on veut ! me répondit-il. C'est aujourd'hui qu'on ferre les forçats qui doivent partir demain pour Toulon. Voulez-vous voir, cela vous amusera.

C'était en effet, pour un reclus[1] solitaire, une bonne fortune qu'un spectacle, si odieux qu'il fût. J'acceptai l'amusement.

Le guichetier prit les précautions d'usage pour s'assurer de moi, puis me conduisit dans une petite cellule vide, et absolument démeublée, qui avait une fenêtre grillée, mais une véritable fenêtre à hauteur d'appui, et à travers laquelle on apercevait réellement le ciel.

– Tenez, me dit-il, d'ici vous verrez et vous entendrez. Vous serez seul dans votre loge comme le roi.

Puis il sortit et referma sur moi serrures, cadenas et verrous.

La fenêtre donnait sur une cour carrée assez vaste, et autour de laquelle s'élevait des quatre côtés, comme une muraille, un grand bâtiment de pierre de taille à six étages. Rien de plus dégradé, de plus nu, de plus misérable à l'œil que cette quadruple façade percée d'une multitude de fenêtres grillées auxquelles se tenaient collés, du bas en haut, une foule de visages maigres et blêmes,

1. **Reclus :** qui vit dans la retraite.

pressés les uns au-dessus des autres, comme les pierres d'un mur, et tous pour ainsi dire encadrés dans les entrecroisements des barreaux de fer. C'étaient les prisonniers, spectateurs de la cérémonie en attendant leur jour d'être acteurs. On eût dit des âmes en peine[1] aux soupiraux du purgatoire[2] qui donnent sur l'enfer.

Tous regardaient en silence la cour vide encore. Ils attendaient. Parmi ces figures éteintes et mornes, çà et là brillaient quelques yeux perçants et vifs comme des points de feu.

Le carré de prisons qui enveloppe la cour ne se referme pas sur lui-même. Un des quatre pans de l'édifice (celui qui regarde le levant[3]) est coupé vers son milieu, et ne se rattache au pan voisin que par une grille de fer. Cette grille s'ouvre sur une seconde cour, plus petite que la première, et, comme elle, bloquée de murs et de pignons noirâtres.

Tout autour de la cour principale, des bancs de pierre s'adossent à la muraille. Au milieu se dresse une tige de fer courbée, destinée à porter une lanterne.

Midi sonna. Une grande porte cochère[4], cachée sous un enfoncement, s'ouvrit brusquement. Une charrette, escortée d'espèces de soldats sales et honteux, en uniformes bleus, à épaulettes rouges et à bandoulières[5] jaunes, entra lourdement dans la cour avec un bruit de ferraille. C'était la chiourme[6] et les chaînes.

Au même instant, comme si ce bruit réveillait tout le bruit de la prison, les spectateurs des fenêtres, jusqu'alors silencieux et immobiles, éclatèrent en cris de joie, en chansons, en menaces, en imprécations[7] mêlées d'éclats de rire poignants à entendre. On eût cru voir des masques de démons. Sur chaque visage parut une

---

1. **Âmes en peine :** fantômes des morts n'ayant pas trouvé la paix.
2. **Purgatoire :** lieu où, selon la religion chrétienne, résidaient les âmes des morts trop coupables pour aller au paradis mais trop bonnes pour partir en enfer.
3. **Le levant :** l'est.
4. **Porte cochère :** porte destinée aux voitures.
5. **Bandoulières :** bandes que les soldats portaient pour y suspendre armes et munitions.
6. **La chiourme :** les forçats.
7. **Imprécations :** protestations, malédictions.

60 grimace, tous les poings sortirent des barreaux, toutes les voix hurlèrent, tous les yeux flamboyèrent, et je fus épouvanté de voir tant d'étincelles reparaître dans cette cendre.

Cependant les argousins[1], parmi lesquels on distinguait, à leurs vêtements propres et à leur effroi, quelques curieux venus de 65 Paris, les argousins se mirent tranquillement à leur besogne. L'un d'eux monta sur la charrette, et jeta à ses camarades les chaînes, les colliers de voyage, et les liasses de pantalons de toile. Alors ils se dépecèrent le travail[2] ; les uns allèrent étendre dans un coin de la cour les longues chaînes qu'ils nommaient dans leur argot *les* 70 *ficelles* ; les autres déployèrent sur le pavé *les taffetas*[3], les chemises et les pantalons ; tandis que les plus sagaces examinaient un à un, sous l'œil de leur capitaine, petit vieillard trapu, les carcans[4] de fer qu'ils éprouvaient ensuite en les faisant étinceler sur le pavé. Le tout aux acclamations railleuses[5] des prisonniers, dont la voix 75 n'était dominée que par les rires bruyants des forçats pour qui cela se préparait, et qu'on voyait relégués aux croisées de la vieille prison qui donne sur la petite cour.

Quand ces apprêts furent terminés, un monsieur brodé en argent, qu'on appelait *monsieur l'inspecteur* donna un ordre au 80 *directeur* de la prison ; et un moment après, voilà que deux ou trois portes basses vomirent presque en même temps, et comme par bouffées, dans la cour, des nuées d'hommes hideux, hurlants et déguenillés[6]. C'étaient les forçats.

À leur entrée, redoublement de joie aux fenêtres. Quelques-uns 85 d'entre eux, les grands noms du bagne, furent salués d'acclamations et d'applaudissements qu'ils recevaient avec une sorte de modestie fière. La plupart avaient des espèces de chapeaux tressés de leurs propres mains avec la paille du cachot, et toujours d'une forme étrange, afin que dans les villes où l'on passerait le chapeau

1. **Argousins :** terme d'argot désignant les surveillants, les gardiens de prison.
2. **Ils se dépecèrent le travail :** ils se partagèrent le travail à la façon de fauves.
3. ***Les taffetas :*** tissus de soie légers et en général de grande valeur (le terme est utilisé ici ironiquement).
4. **Carcans :** colliers de fer servant à attacher les condamnés.
5. **Railleuses :** moqueuses.
6. **Déguenillés :** vêtus de vêtements misérables.

fît remarquer la tête. Ceux-là étaient plus applaudis encore. Un, surtout, excita des transports d'enthousiasme : un jeune homme de dix-sept ans, qui avait un visage de jeune fille. Il sortait du cachot, où il était au secret depuis huit jours ; de sa botte de paille il s'était fait un vêtement qui l'enveloppait de la tête aux pieds, et il entra dans la cour en faisant la roue sur lui-même avec l'agilité d'un serpent. C'était un baladin[1] condamné pour vol. Il y eut une rage de battements de mains et de cris de joie. Les galériens y répondaient, et c'était une chose effrayante que cet échange de gaietés entre les forçats en titre et les forçats aspirants. La société avait beau être là, représentée par les geôliers et les curieux épouvantés, le crime la narguait en face, et de ce châtiment horrible faisait une fête de famille.

À mesure qu'ils arrivaient, on les poussait, entre deux haies de gardes-chiourme, dans la petite cour grillée, où la visite des médecins les attendait. C'est là que tous tentaient un dernier effort pour éviter le voyage, alléguant[2] quelque excuse de santé, les yeux malades, la jambe boiteuse, la main mutilée. Mais presque toujours on les trouvait bons pour le bagne ; et alors chacun se résignait avec insouciance, oubliant en peu de minutes sa prétendue infirmité de toute la vie.

La grille de la petite cour se rouvrit. Un gardien fit l'appel par ordre alphabétique ; et alors ils sortirent un à un, et chaque forçat s'alla ranger debout dans un coin de la grande cour, près d'un compagnon donné par le hasard de sa lettre initiale. Ainsi chacun se voit réduit à lui-même ; chacun porte sa chaîne pour soi, côte à côte avec un inconnu ; et si par hasard un forçat a un ami, la chaîne l'en sépare. Dernière des misères !

Quand il y en eut à peu près une trentaine de sortis, on referma la grille. Un argousin[3] les aligna avec son bâton, jeta devant chacun d'eux une chemise, une veste et un pantalon de grosse toile, puis fit un signe, et tous commencèrent à se déshabiller. Un incident inattendu vint, comme à point nommé, changer cette humiliation en torture.

---

1. **Baladin :** saltimbanque, comédien de rue.
2. **Alléguant :** affirmant.
3. **Argousin :** voir note 1, page ci-contre.

Jusqu'alors le temps avait été assez beau, et, si la bise d'octobre
125 refroidissait l'air, de temps en temps aussi elle ouvrait çà et là dans les brumes grises du ciel une crevasse par où tombait un rayon de soleil. Mais à peine les forçats se furent-ils dépouillés de leurs haillons de prison, au moment où ils s'offraient nus et debout à la visite soupçonneuse des gardiens, et aux regards curieux des
130 étrangers qui tournaient autour d'eux pour examiner leurs épaules, le ciel devint noir, une froide averse d'automne éclata brusquement, et se déchargea à torrents dans la cour carrée, sur les têtes découvertes, sur les membres nus des galériens, sur leurs misérables sayons[1] étalés sur le pavé.

135 En un clin d'œil le préau se vida de tout ce qui n'était pas argousin ou galérien. Les curieux de Paris allèrent s'abriter sous les auvents des portes.

Cependant la pluie tombait à flots. On ne voyait plus dans la cour que les forçats nus et ruisselants sur le pavé noyé. Un silence
140 morne avait succédé à leurs bruyantes bravades. Ils grelottaient, leurs dents claquaient : leurs jambes maigries, leurs genoux noueux[2] s'entrechoquaient ; et c'était pitié de les voir appliquer sur leurs membres bleus ces chemises trempées, ces vestes, ces pantalons dégouttant de pluie. La nudité eût été meilleure.

145 Un seul, un vieux, avait conservé quelque gaieté. Il s'écria, en s'essuyant avec sa chemise mouillée, que *cela n'était pas dans le programme* ; puis se prit à rire en montrant le poing au ciel.

Quand ils eurent revêtu les habits de route, on les mena par bandes de vingt ou trente à l'autre coin du préau, où les cordons
150 allongés à terre les attendaient. Ces cordons sont de longues et fortes chaînes coupées transversalement de deux en deux pieds par d'autres chaînes plus courtes, à l'extrémité desquelles se rattache un carcan carré[3], qui s'ouvre au moyen d'une charnière pratiquée à l'un des angles et se ferme à l'angle opposé par un boulon de fer,
155 rivé pour tout le voyage sur le cou du galérien. Quand ces cordons

1. **Sayons :** espèce de casaques ouvertes, portées autrefois par les anciens guerriers et par les paysans.
2. **Noueux :** tordus et abîmés par l'âge.
3. **Carcan carré :** voir note 4, page 82.

sont développés à terre, ils figurent assez bien[1] la grande arête d'un poisson.

On fit asseoir les galériens dans la boue, sur les pavés inondés ; on leur essaya les colliers ; puis deux forgerons de la chiourme, armés
160 d'enclumes portatives, les leur rivèrent[2] à froid à grands coups de masses de fer. C'est un moment affreux, où les plus hardis pâlissent. Chaque coup de marteau, assené sur l'enclume appuyée à leur dos, fait rebondir le menton du patient ; le moindre mouvement d'avant en arrière lui ferait sauter le crâne comme une coquille de noix.
165 Après cette opération, ils devinrent sombres. On n'entendait plus que le grelottement des chaînes, et par intervalles un cri et le bruit sourd du bâton des gardes-chiourme sur les membres des récalcitrants[3]. Il y en eut qui pleurèrent ; les vieux frissonnaient et se mordaient les lèvres. Je regardai avec terreur tous ces profils sinistres
170 dans leurs cadres de fer.

Ainsi, après la visite des médecins, la visite des geôliers ; après la visite des geôliers, le ferrage[4]. Trois actes à ce spectacle.

Un rayon de soleil reparut. On eût dit qu'il mettait le feu à tous ces cerveaux. Les forçats se levèrent à la fois, comme par un mou-
175 vement convulsif. Les cinq cordons se rattachèrent par les mains, et tout à coup se formèrent en ronde immense autour de la branche de la lanterne. Ils tournaient à fatiguer les yeux. Ils chantaient une chanson du bagne, une romance[5] d'argot, sur un air tantôt plaintif, tantôt furieux et gai ; on entendait par intervalles des cris grêles,
180 des éclats de rire déchirés et haletants se mêler aux mystérieuses paroles ; puis des acclamations furibondes[6] ; et les chaînes qui s'entrechoquaient en cadence servaient d'orchestre à ce chant plus rauque que leur bruit. Si je cherchais une image du sabbat[7], je ne la voudrais ni meilleure ni pire.

---

1. **Ils figurent assez bien :** ils ressemblent bien à.
2. **Rivèrent :** attachèrent.
3. **Récalcitrants :** qui résistent, qui refusent.
4. **Ferrage :** opération consistant à attacher des fers aux condamnés.
5. **Romance :** récit écrit en vers simples et naïfs et destiné à être chanté.
6. **Furibondes :** furieuses.
7. **Sabbat :** dans les croyances médiévales, réunion de sorciers et de sorcières célébrant le diable.

185 On apporta dans le préau un large baquet. Les gardes-chiourme rompirent la danse des forçats à coups de bâton, et les conduisirent à ce baquet dans lequel on voyait nager je ne sais quelles herbes dans je ne sais quel liquide fumant et sale. Ils mangèrent.

Puis, ayant mangé, ils jetèrent sur le pavé ce qui restait de leur 190 soupe et de leur pain bis[1], et se remirent à danser et à chanter. Il paraît qu'on leur laisse cette liberté le jour du ferrage et la nuit qui le suit.

J'observais ce spectacle étrange avec une curiosité si avide, si palpitante, si attentive, que je m'étais oublié moi-même. Un pro-195 fond sentiment de pitié me remuait jusqu'aux entrailles, et leurs rires me faisaient pleurer.

Tout à coup, à travers la rêverie profonde où j'étais tombé, je vis la ronde hurlante s'arrêter et se taire. Puis tous les yeux se tournèrent vers la fenêtre que j'occupais. – Le condamné ! le 200 condamné ! crièrent-ils tous en me montrant du doigt ; et les explosions de joie redoublèrent.

Je restai pétrifié.

J'ignore d'où ils me connaissaient et comment ils m'avaient reconnu.

205 – Bonjour ! bonsoir ! me crièrent-ils avec leur ricanement atroce. Un des plus jeunes, condamné aux galères perpétuelles, face luisante et plombée, me regarda d'un air d'envie en disant : – Il est heureux ! il sera *rogné*[2] ! Adieu, camarade !

Je ne puis dire ce qui se passait en moi. J'étais leur camarade en 210 effet. La Grève est sœur de Toulon[3]. J'étais même placé plus bas qu'eux : ils me faisaient honneur. Je frissonnai.

Oui, leur camarade ! Et quelques jours plus tard, j'aurais pu aussi, moi, être un spectacle pour eux.

J'étais demeuré à la fenêtre, immobile, perclus, paralysé. Mais 215 quand je vis les cinq cordons s'avancer, se ruer vers moi avec des paroles d'une infernale cordialité ; quand j'entendis le tumultueux fracas de leurs chaînes, de leurs clameurs, de leurs pas, au pied du

---

1. **Pain bis :** pain de mauvaise qualité.
2. ***Rogné :*** terme argotique signifiant « exécuté ».
3. **La Grève est sœur de Toulon :** comprendre « les condamnés à mort sont les frères des bagnards ».

mur, il me sembla que cette nuée de démons escaladait ma misérable cellule ; je poussai un cri, je me jetai sur la porte d'une violence à la briser ; mais pas moyen de fuir. Les verrous étaient tirés en dehors. Je heurtai, j'appelai avec rage. Puis il me sembla entendre de plus près encore les effrayantes voix des forçats. Je crus voir leurs têtes hideuses paraître déjà au bord de ma fenêtre, je poussai un second cri d'angoisse, et je tombai évanoui.

XIV

Quand je revins à moi, il était nuit. J'étais couché dans un grabat[1] ; une lanterne qui vacillait au plafond me fit voir d'autres grabats alignés des deux côtés du mien. Je compris qu'on m'avait transporté à l'infirmerie.

Je restai quelques instants éveillé, mais sans pensée et sans souvenir, tout entier au bonheur d'être dans un lit. Certes, en d'autres temps, ce lit d'hôpital et de prison m'eût fait reculer de dégoût et de pitié ; mais je n'étais plus le même homme. Les draps étaient gris et rudes au toucher, la couverture maigre et trouée ; on sentait la paillasse à travers le matelas ; qu'importe ! mes membres pouvaient se déroidir[2] à l'aise entre ces draps grossiers ; sous cette couverture, si mince qu'elle fût, je sentais se dissiper peu à peu cet horrible froid de la moelle des os dont j'avais pris l'habitude. – Je me rendormis.

Un grand bruit me réveilla ; il faisait petit jour. Ce bruit venait du dehors ; mon lit était à côté de la fenêtre, je me levai sur mon séant pour voir ce que c'était.

La fenêtre donnait sur la grande cour de Bicêtre. Cette cour était pleine de monde ; deux haies de vétérans[3] avaient peine à maintenir libre, au milieu de cette foule, un étroit chemin qui traversait la cour. Entre ce double rang de soldats cheminaient lentement, caho-

1. **Un grabat :** un mauvais lit.
2. **Se déroidir :** se détendre.
3. **Vétérans :** militaires expérimentés.

tées[1] à chaque pavé, cinq longues charrettes chargées d'hommes ; c'étaient les forçats qui partaient.

Ces charrettes étaient découvertes. Chaque cordon en occupait une. Les forçats étaient assis côte à côte sur chacun des bords, adossés les uns aux autres, séparés par la chaîne commune, qui se développait dans la longueur du chariot, et sur l'extrémité de laquelle un argousin debout, fusil chargé, tenait le pied. On entendait bruire[2] leurs fers, et, à chaque secousse de la voiture, on voyait sauter leurs têtes et ballotter leurs jambes pendantes.

Une pluie fine et pénétrante glaçait l'air, et collait sur leurs genoux leurs pantalons de toile, de gris devenus noirs. Leurs longues barbes, leurs cheveux courts, ruisselaient ; leurs visages étaient violets ; on les voyait grelotter, et leurs dents grinçaient de rage et de froid. Du reste, pas de mouvements possibles. Une fois rivé à cette chaîne, on n'est plus qu'une fraction de ce tout hideux qu'on appelle le cordon, et qui se meut comme un seul homme. L'intelligence doit abdiquer[3], le carcan du bagne la condamne à mort ; et quant à l'animal lui-même, il ne doit plus avoir de besoins et d'appétits qu'à heures fixes. Ainsi, immobiles, la plupart demi-nus, têtes découvertes et pieds pendants, ils commençaient leur voyage de vingt-cinq jours, chargés sur les mêmes charrettes, vêtus des mêmes vêtements pour le soleil à plomb[4] de juillet et pour les froides pluies de novembre. On dirait que les hommes veulent mettre le ciel de moitié dans leur office de bourreaux[5].

Il s'était établi entre la foule et les charrettes je ne sais quel horrible dialogue : injures d'un côté, bravades de l'autre, imprécations des deux parts ; mais, à un signe du capitaine, je vis les coups de bâton pleuvoir au hasard dans les charrettes, sur les épaules ou sur les têtes, et tout rentra dans cette espèce de calme extérieur qu'on appelle l'*ordre*. Mais les yeux étaient pleins de vengeance, et les poings des misérables se crispaient sur leurs genoux.

---

1. **Cahotées :** heurtées.
2. **Bruire :** murmurer.
3. **Abdiquer :** abandonner.
4. **Soleil à plomb :** soleil de plomb, soleil brûlant.
5. **Mettre le ciel de moitié dans leur office de bourreaux :** faire participer Dieu à leur travail de bourreaux.

Les cinq charrettes, escortées de gendarmes à cheval et d'argousins à pied, disparurent successivement sous la haute porte cintrée de Bicêtre ; une sixième les suivit, dans laquelle ballottaient pêle-mêle les chaudières, les gamelles de cuivre et les chaînes de rechange. Quelques gardes-chiourme qui s'étaient attardés à la cantine sortirent en courant pour rejoindre leur escouade[1]. La foule s'écoula. Tout ce spectacle s'évanouit comme une fantasmagorie. On entendit s'affaiblir par degrés dans l'air le bruit lourd des roues et des pieds des chevaux sur la route pavée de Fontainebleau, le claquement des fouets, le cliquetis des chaînes, et les hurlements du peuple qui souhaitait malheur au voyage des galériens.

Et c'est là pour eux le commencement !

Que me disait-il donc, l'avocat ? Les galères ! Ah ! oui, plutôt mille fois la mort ! plutôt l'échafaud que le bagne, plutôt le néant que l'enfer ; plutôt livrer mon cou au couteau de Guillotin qu'au carcan de la chiourme ! Les galères, juste ciel !

XV

Malheureusement je n'étais pas malade. Le lendemain il fallut sortir de l'infirmerie. Le cachot me reprit.

Pas malade ! en effet, je suis jeune, sain et fort. Le sang coule librement dans mes veines ; tous mes membres obéissent à tous mes caprices ; je suis robuste de corps et d'esprit, constitué pour une longue vie : oui, tout cela est vrai ; et cependant j'ai une maladie, une maladie mortelle, une maladie faite de la main des hommes.

Depuis que je suis sorti de l'infirmerie, il m'est venu une idée poignante, une idée à me rendre fou, c'est que j'aurais peut-être pu m'évader si l'on m'y avait laissé. Ces médecins, ces sœurs de charité[2], semblaient prendre intérêt à moi. Mourir si jeune et

1. **Escouade :** groupe de soldats.
2. **Sœurs de charité :** religieuses (le terme est ici ironique).

d'une telle mort ! On eût dit qu'ils me plaignaient, tant ils étaient empressés autour de mon chevet. Bah ! curiosité ! Et puis, ces gens qui guérissent vous guérissent bien d'une fièvre, mais non d'une sentence de mort. Et pourtant cela leur serait si facile ! une porte ouverte ! Qu'est-ce que cela leur ferait ?

Plus de chance maintenant ! Mon pourvoi sera rejeté, parce que tout est en règle ; les témoins ont bien témoigné, les plaideurs ont bien plaidé, les juges ont bien jugé. Je n'y compte pas, à moins que... Non, folie ! plus d'espérance ! Le pourvoi[1], c'est une corde qui vous tient suspendu au-dessus de l'abîme, et qu'on entend craquer à chaque instant, jusqu'à ce qu'elle se casse. C'est comme si le couteau de la guillotine mettait six semaines à tomber.

Si j'avais ma grâce ? – Avoir ma grâce ! Et par qui ? et pourquoi ? et comment ? Il est impossible qu'on me fasse grâce. L'exemple ! comme ils disent.

Je n'ai plus que trois pas à faire : Bicêtre, la Conciergerie[2], la Grève.

XVI

Pendant le peu d'heures que j'ai passées à l'infirmerie, je m'étais assis près d'une fenêtre, au soleil, – il avait reparu – ou du moins recevant du soleil tout ce que les grilles de la croisée m'en laissaient.

J'étais là, ma tête pesante et embrassée dans mes deux mains, qui en avaient plus qu'elles n'en pouvaient porter, mes coudes sur mes genoux, les pieds sur les barreaux de ma chaise, car l'abattement[3] fait que je me courbe et me replie sur moi-même comme si je n'avais plus ni os dans les membres ni muscles dans la chair.

L'odeur étouffée de la prison me suffoquait plus que jamais, j'avais encore dans l'oreille tout ce bruit de chaînes des galériens,

1. **Pourvoi :** voir note 1, page 59.
2. **Conciergerie :** prison parisienne située dans le Palais de Justice, face à la Seine.
3. **Abattement :** sensation de fatigue extrême.

j'éprouvais une grande lassitude de Bicêtre. Il me semblait que le bon Dieu devrait bien avoir pitié de moi et m'envoyer au moins un petit oiseau pour chanter là, en face, au bord du toit.

15 Je ne sais si ce fut le bon Dieu ou le démon qui m'exauça ; mais presque au même moment j'entendis s'élever sous ma fenêtre une voix, non celle d'un oiseau, mais bien mieux : la voix pure, fraîche, veloutée d'une jeune fille de quinze ans. Je levai la tête comme en sursaut, j'écoutai avidement la chanson qu'elle chantait. C'était 20 un air lent et langoureux, une espèce de roucoulement triste et lamentable ; voici les paroles :

C'est dans la rue du Mail
Où j'ai été coltigé[1]*,*
Maluré[2]*,*
25 *Par trois coquins de railles*[3]*,*
Lirlonfa malurette[4]*,*
Sur mes sique[5] *ont foncé,*
Lirlonfa maluré.

Je ne saurais dire combien fut amer mon désappointement[6]. La 30 voix continua :

Sur mes sique'ont foncé,
Maluré.
Ils m'ont mis la tartouve[7]*,*
Lirlonfa malurette,
35 *Grand Meudon est aboulé*[8]*,*
Lirlonfa maluré.

---

1. ***Coltigé :*** arrêté. Le mot est argotique, comme tout le vocabulaire de la chanson. Hugo commente l'argot des prisonniers dans *Les Misérables*, IV, 7, 3.
2. ***Maluré :*** expression de plainte, équivalent à « Malheur ! ».
3. ***Railles :*** policiers.
4. ***Lirlonfa malurette :*** autre déploration argotique de prisonnier.
5. ***Sur mes sique' :*** sur moi.
6. **Désappointement :** déception.
7. ***Tartouve :*** les menottes.
8. ***Grand Meudon est aboulé :*** le policier est arrivé.

Dans mon trimin[1] *rencontre,*
Lirlonfa malurette,
Un peigre[2] *du quartier*
40 *Lirlonfa maluré.*

Un peigre du quartier
Maluré.
– Va-t'en dire à ma largue[3]*,*
Lirlonfa malurette,
45 *Que je suis enfourraillé*[4]*,*
Lirlonfa maluré.
Ma largue tout en colère,
Lirlonfa malurette,

M'dit : Qu'as-tu donc morfillé[5] *?*
50 *Lirlonfa maluré.*

M'dit : Qu'as-tu donc morfillé ?
Maluré.
– J'ai fait suer un chêne[6]*,*
Lirlonfa malurette,
55 *Son auberg j'ai enganté*[7]*,*
Lirlonfa maluré,
Son auberg et sa toquante[8]*,*
Lirlonfa malurette,
Et ses attach's de cés[9]*,*
60 *Lirlonfa maluré.*

---

1. ***Mon trimin :*** ma rue.
2. ***Un peigre :*** un truand.
3. ***Ma largue :*** ma femme.
4. ***Enfouraillé :*** emprisonné.
5. ***Morfillé :*** avoué.
6. ***Suer un chêne :*** assassiner un homme.
7. ***Son auberg j'ai enganté :*** son argent, j'ai volé.
8. ***Toquante :*** montre.
9. ***Attach's de cés :*** ses boucles d'argent.

Et ses attach's de cés,
Maluré. –
Ma largu'part pour Versailles,
Lirlonfa malurette,
65 *Aux pieds d' sa majesté,*
Lirlonfa maluré.
Elle lui fonce un babillard[1]*,*
Lirlonfa malurette,
Pour m' faire défourrailler
70 *Lirlonfa maluré.*

Pour m'faire défourailler,
Maluré.
– Ah ! si j'en défourraille,
Lirlonfa malurette,
75 *Ma largue j'entiferai*[2]*,*
Lirlonfa maluré.
J'li ferai porter fontange[3]*,*
Lirlonfa malurette,
Et souliers galuchés,
80 *Lirlonfa maluré.*

Et souliers galuchés[4]*,*
Maluré.
Mais grand dabe[5] *qui s'fâche,*
Lirlonfa malurette,
85 *Dit : – Par mon caloquet*[6]*,*
Lirlonfa maluré,
J'li ferai danser une danse,
Lirlonfa malurette,
Où il ni a pas de plancher
90 *Lirlonfa maluré. –*

---

1. ***Elle lui fonce un babillard :*** elle le supplie.
2. ***Entiferai :*** habillerai.
3. ***Fontange :*** nœud de rubans que les femmes portaient sur leur coiffure à l'époque de Louis XIV.
4. ***Galuchés :*** décorés.
5. ***Grand dabe :*** le roi.
6. ***Caloquet :*** couronne.

Je n'en ai pas entendu et n'aurais pu en entendre davantage. Le sens à demi compris et à demi caché de cette horrible complainte, cette lutte du brigand avec le guet, ce voleur qu'il rencontre et qu'il dépêche à sa femme, cet épouvantable message : J'ai assassiné 95 un homme et je suis arrêté, *j'ai fait suer un chêne et je suis enfourraillé* ; cette femme qui court à Versailles avec un placet, et cette Majesté qui s'indigne et menace le coupable de lui faire danser *la danse où il n'y a pas de plancher ;* et tout cela chanté sur l'air le plus doux et par la plus douce voix qui ait jamais endormi l'oreille 100 humaine !... J'en suis resté navré, glacé, anéanti. C'était une chose repoussante que toutes ces monstrueuses paroles sortant de cette bouche vermeille[1] et fraîche. On eût dit la bave d'une limace sur une rose.

Je ne saurais rendre ce que j'éprouvais ; j'étais à la fois blessé et 105 caressé. Le patois de la caverne et du bagne, cette langue ensanglantée et grotesque, ce hideux argot marié à une voix de jeune fille, gracieuse transition de la voix d'enfant à la voix de femme ! tous ces mots difformes et mal faits, chantés, cadencés, perlés !

Ah ! qu'une prison est quelque chose d'infâme ! il y a un venin 110 qui y salit tout. Tout s'y flétrit, même la chanson d'une fille de quinze ans ! Vous y trouvez un oiseau, il a de la boue sur son aile ; vous y cueillez une jolie fleur, vous la respirez : elle pue.

XVII

Oh ! si je m'évadais, comme je courrais à travers champs !

Non, il ne faudrait pas courir. Cela fait regarder et soupçonner. Au contraire, marcher lentement, tête levée, en chantant. Tâcher d'avoir quelque vieux sarrau[2] bleu à dessins rouges. Cela déguise 5 bien. Tous les maraîchers des environs en portent.

---

1. **Vermeille :** rouge.
2. **Sarrau :** tablier de travail.

Je sais auprès d'Arcueil[1] un fourré d'arbres à côté d'un marais, où, étant au collège, je venais avec mes camarades pêcher des grenouilles tous les jeudis. C'est là que je me cacherais jusqu'au soir.

La nuit tombée, je reprendrais ma course. J'irais à Vincennes. Non, 10 la rivière m'empêcherait. J'irais à Arpajon[2]. – Il aurait mieux valu prendre du côté de Saint-Germain, et aller au Havre, et m'embarquer pour l'Angleterre. – N'importe ! j'arrive à Longjumeau[3]. Un gendarme passe : il me demande mon passeport... Je suis perdu !

Ah ! malheureux rêveur, brise donc d'abord le mur épais de trois 15 pieds qui t'emprisonne ! La mort ! la mort !

Quand je pense que je suis venu tout enfant, ici, à Bicêtre, voir le grand puits et les fous !

XVIII

Pendant que j'écrivais tout ceci, ma lampe a pâli, le jour est venu, l'horloge de la chapelle a sonné six heures. –

Qu'est-ce que cela veut dire ? Le guichetier de garde vient d'entrer dans mon cachot, il a ôté sa casquette, m'a salué, s'est excusé de 5 me déranger, et m'a demandé, en adoucissant de son mieux sa rude voix, ce que je désirais à déjeuner ? ...

Il m'a pris un frisson. – Est-ce que ce serait pour aujourd'hui ?

XIX

C'est pour aujourd'hui !

Le directeur de la prison lui-même vient de me rendre visite. Il m'a demandé en quoi il pourrait m'être agréable ou utile, a

1. **Arcueil :** ville dans la banlieue proche de Paris, au sud.
2. **Arpajon :** ville située au sud de Paris, dans la vallée de l'Orge.
3. **Longjumeau :** autre ville au sud de Paris, où les voyageurs faisaient souvent étape.

exprimé le désir que je n'eusse pas à me plaindre de lui ou de ses subordonnés, s'est informé avec intérêt de ma santé et de la façon dont j'avais passé la nuit ; en me quittant, il m'a appelé *monsieur* !

C'est pour aujourd'hui !

XX

Il ne croit pas, ce geôlier, que j'aie à me plaindre de lui et de ses sous-geôliers. Il a raison. Ce serait mal à moi de me plaindre ; ils ont fait leur métier, ils m'ont bien gardé ; et puis ils ont été polis à l'arrivée et au départ. Ne dois-je pas être content ?

Ce bon geôlier, avec son sourire bénin[1], ses paroles caressantes, son œil qui flatte et qui espionne, ses grosses et larges mains, c'est la prison incarnée, c'est Bicêtre qui s'est fait homme. Tout est prison autour de moi ; je retrouve la prison sous toutes les formes, sous la forme humaine comme sous la forme de grille ou de verrou. Ce mur, c'est de la prison en pierre ; cette porte, c'est de la prison en bois ; ces guichetiers, c'est de la prison en chair et en os. La prison est une espèce d'être horrible, complet, indivisible, moitié maison, moitié homme. Je suis sa proie ; elle me couve, elle m'enlace de tous ses replis. Elle m'enferme dans ses murailles de granit, me cadenasse sous ses serrures de fer, et me surveille avec ses yeux de geôlier.

Ah ! misérable ! que vais-je devenir ? qu'est-ce qu'ils vont faire de moi ?

---

1. **Bénin :** innocent.

XXI

Je suis calme maintenant. Tout est fini, bien fini. Je suis sorti de l'horrible anxiété où m'avait jeté la visite du directeur. Car, je l'avoue, j'espérais encore.

– Maintenant, Dieu merci, je n'espère plus.

Voici ce qui vient de se passer :

Au moment où six heures et demie sonnaient, – non, c'était l'avant-quart[1], – la porte de mon cachot s'est rouverte. Un vieillard à tête blanche, vêtu d'une redingote brune, est entré. Il a entrouvert sa redingote. J'ai vu une soutane, un rabat. C'était un prêtre.

Ce prêtre n'était pas l'aumônier de la prison. Cela était sinistre.

Il s'est assis en face de moi avec un sourire bienveillant ; puis a secoué la tête et levé les yeux au ciel, c'est-à-dire à la voûte du cachot. Je l'ai compris.

– Mon fils, m'a-t-il dit, êtes-vous préparé ?

Je lui ai répondu d'une voix faible :

– Je ne suis pas préparé, mais je suis prêt.

Cependant ma vue s'est troublée, une sueur glacée est sortie à la fois de tous mes membres, j'ai senti mes tempes se gonfler, et j'avais les oreilles pleines de bourdonnements.

Pendant que je vacillais sur ma chaise comme endormi, le bon vieillard parlait. C'est du moins ce qu'il m'a semblé, et je crois me souvenir que j'ai vu ses lèvres remuer, ses mains s'agiter, ses yeux reluire.

La porte s'est rouverte une seconde fois. Le bruit des verrous nous a arrachés, moi à ma stupeur, lui à son discours. Une espèce de monsieur en habit noir, accompagné du directeur de la prison, s'est présenté, et m'a salué profondément. Cet homme avait sur le visage quelque chose de la tristesse officielle des employés des pompes funèbres. Il tenait un rouleau de papier à la main.

– Monsieur, m'a-t-il dit avec un sourire de courtoisie, je suis huissier près[2] la cour royale de Paris. J'ai l'honneur de vous apporter un message de la part de monsieur le procureur général.

---

1. **Avant-quart :** moins le quart (de l'heure qui suit).
2. **Près :** auprès de.

La première secousse était passée. Toute ma présence d'esprit m'était revenue.

– C'est monsieur le procureur général, lui ai-je répondu, qui a 35 demandé si instamment ma tête ? Bien de l'honneur pour moi qu'il m'écrive. J'espère que ma mort lui va faire grand plaisir ? car il me serait dur de penser qu'il l'a sollicitée avec tant d'ardeur et qu'elle lui était indifférente.

J'ai dit tout cela, et j'ai repris d'une voix ferme :

40 – Lisez, monsieur !

Il s'est mis à me lire un long texte, en chantant à la fin de chaque ligne et en hésitant au milieu de chaque mot. C'était le rejet de mon pourvoi.

– L'arrêt sera exécuté aujourd'hui en place de Grève, a-t-il ajouté 45 quand il a eu terminé, sans lever les yeux de dessus son papier timbré. Nous partons à sept heures et demie précises pour la Conciergerie. Mon cher monsieur, aurez-vous l'extrême bonté de me suivre ?

Depuis quelques instants je ne l'écoutais plus. Le directeur cau-50 sait avec le prêtre ; lui, avait l'œil fixé sur son papier ; je regardais la porte, qui était restée entrouverte...

– Ah ! misérable ! quatre fusiliers[1] dans le corridor !

L'huissier a répété sa question, en me regardant cette fois.

– Quand vous voudrez, lui ai-je répondu. À votre aise !

55 Il m'a salué en disant :

– J'aurai l'honneur de venir vous chercher dans une demi-heure.

Alors ils m'ont laissé seul.

Un moyen de fuir, mon Dieu ! un moyen quelconque ! Il faut que je m'évade ! il le faut ! sur-le-champ ! par les portes, par les 60 fenêtres, par la charpente du toit ! quand même je devrais laisser de ma chair après les poutres !

Ô rage ! démons ! malédiction ! Il faudrait des mois pour percer ce mur avec de bons outils, et je n'ai ni un clou, ni une heure !

---

1. **Fusiliers :** soldats armés de fusils.

Clefs d'analyse

Le Dernier Jour d'un condamné,
chap. XXI

Action et personnages

1. Observez la construction de ce chapitre : comment la visite du prêtre puis celle de l'huissier sont-elles présentées ? Par quoi sont-elles précédées ?
2. Comment nous est présenté le personnage du prêtre ? Est-il de nature à offrir une consolation au prisonnier ?
3. Que pensez-vous de l'huissier et du directeur de la prison ? Comment s'adressent-ils au prisonnier ? Sont-ils antipathiques ?

Langue

4. Expliquez l'expression, en apparence paradoxale : « Maintenant, Dieu merci, je n'espère plus » (ligne 4).
5. « Je ne suis pas préparé, mais je suis prêt » (ligne 16) : quelle différence existe-t-il entre les deux participes « prêt » et « préparé » ? Quel effet produit le rapprochement ?
6. « Le bon vieillard » (lignes 20-21) : qui est appelé ainsi ? L'expression est-elle ironique ?
7. « Lisez, monsieur ! » (ligne 40) : quel est le temps du verbe et la modalité de la phrase ? Retrouvez-vous ailleurs des constructions semblables ?

Genre ou thèmes

8. Comparez ce passage avec l'autre visite d'un prêtre (chapitre XXX). Quelles différences y a-t-il entre les deux personnages ?
9. À quels autres chapitres apparaît le thème de l'évasion ? Celle-ci offre-t-elle un réel espoir au prisonnier ?
10. Les bruits et les sensations jouent un rôle important dans ce passage : relevez-en quelques exemples. Que nous apprennent-ils ?

Écriture

11. Vous imaginerez une ultime lettre rédigée par le narrateur au procureur général qui l'a condamné, lettre où il récapitule ses arguments pour demander sa grâce.

Pour aller plus loin

12. Pourquoi, à votre avis, Victor Hugo met-il en scène un prêtre ? Que pense, selon vous, l'auteur du rôle que devrait jouer la religion par rapport à la peine de mort ?

13. Comment Hugo parvient-il à nous faire partager les sensations intérieures et les sentiments qui assaillent le prisonnier ? A-t-il besoin de nous expliquer ce que celui-ci ressent ?

* *À retenir*

Chaque chapitre du *Dernier Jour d'un condamné* illustre une nouvelle souffrance que rencontre le narrateur. Le chapitre XXI insiste sur le caractère inéluctable de l'arrêt de mort et nous décrit avec beaucoup de finesse les différents sentiments qui envahissent le prisonnier, de la révolte à l'acceptation désespérée de son destin. Par ailleurs, ce chapitre illustre le thème, récurrent dans le roman, de l'indifférence cruelle de la société à l'égard des condamnés.

XXII

De la Conciergerie.

Me voici *transféré*, comme dit le procès-verbal.

Mais le voyage vaut la peine d'être conté.

Sept heures et demie sonnaient lorsque l'huissier s'est présenté de nouveau au seuil de mon cachot. – Monsieur, m'a-t-il dit, je vous attends. – Hélas ! lui et d'autres !

Je me suis levé, j'ai fait un pas ; il m'a semblé que je n'en pourrais faire un second, tant ma tête était lourde et mes jambes faibles. Cependant je me suis remis et j'ai continué d'une allure assez ferme. Avant de sortir du cabanon, j'y ai promené un dernier coup d'œil. – Je l'aimais, mon cachot. – Puis, je l'ai laissé vide et ouvert ; ce qui donne à un cachot un air singulier.

Au reste, il ne le sera pas longtemps. Ce soir on y attend quelqu'un, disaient les porte-clefs, un condamné que la cour d'assises est en train de faire à l'heure qu'il est[1].

Au détour du corridor, l'aumônier nous a rejoints. Il venait de déjeuner.

Au sortir de la geôle, le directeur m'a pris affectueusement la main, et a renforcé mon escorte de quatre vétérans.

Devant la porte de l'infirmerie, un vieillard moribond m'a crié : Au revoir !

Nous sommes arrivés dans la cour. J'ai respiré ; cela m'a fait du bien.

Nous n'avons pas marché longtemps à l'air. Une voiture attelée de chevaux de poste stationnait dans la première cour ; c'est la même voiture qui m'avait amené ; une espèce de cabriolet oblong[2], divisé en deux sections par une grille transversale de fil de fer si épaisse qu'on la dirait tricotée. Les deux sections ont chacune une porte, l'une devant, l'autre derrière la carriole. Le tout si sale, si

1. **En train de faire à l'heure qu'il est :** comprendre « un inculpé que la cour d'assises est en train de condamner ».
2. **Un cabriolet oblong :** une voiture légère à cheval et à deux roues, de forme allongée.

noir, si poudreux, que le corbillard des pauvres est un carrosse du sacre en comparaison.

30 Avant de m'ensevelir dans cette tombe à deux roues, j'ai jeté un regard dans la cour, un de ces regards désespérés devant lesquels il semble que les murs devraient crouler. La cour, espèce de petite place plantée d'arbres, était plus encombrée encore de spectateurs que pour les galériens. Déjà la foule !

35 Comme le jour du départ de la chaîne, il tombait une pluie de la saison, une pluie fine et glacée qui tombe encore à l'heure où j'écris, qui tombera sans doute toute la journée, qui durera plus que moi.

Les chemins étaient effondrés, la cour pleine de fange et d'eau. J'ai eu plaisir à voir cette foule dans cette boue.

40 Nous sommes montés, l'huissier et un gendarme dans le compartiment de devant ; le prêtre, moi et un gendarme dans l'autre. Quatre gendarmes à cheval autour de la voiture. Ainsi, sans le postillon[1], huit hommes pour un homme.

Pendant que je montais, il y avait une vieille aux yeux gris qui 45 disait : – J'aime encore mieux cela que la chaîne.

Je conçois. C'est un spectacle qu'on embrasse plus aisément d'un coup d'œil, c'est plus tôt vu. C'est tout aussi beau et plus commode. Rien ne vous distrait. Il n'y a qu'un homme, et sur cet homme seul autant de misère que sur tous les forçats à la fois. 50 Seulement cela est moins éparpillé ; c'est une liqueur[2] concentrée, bien plus savoureuse.

La voiture s'est ébranlée. Elle a fait un bruit sourd en passant sous la voûte de la grande porte, puis a débouché dans l'avenue, et les lourds battants de Bicêtre se sont refermés derrière elle. Je me 55 sentais emporté avec stupeur, comme un homme tombé en léthargie qui ne peut ni remuer ni crier et qui entend qu'on l'enterre. J'écoutais vaguement les paquets de sonnettes pendus au cou des chevaux de poste sonner en cadence et comme par hoquets, les roues ferrées bruire sur le pavé ou cogner la caisse en changeant 60 d'ornière, le galop sonore des gendarmes autour de la carriole, le fouet claquant du postillon. Tout cela me semblait comme un tourbillon qui m'emportait.

---

1. **Postillon :** conducteur d'une voiture à cheval.
2. **Liqueur :** boisson alcoolisée.

À travers le grillage d'un judas percé en face de moi, mes yeux s'étaient fixés machinalement sur l'inscription gravée en grosses
65 lettres au-dessus de la grande porte de Bicêtre : HOSPICE DE LA VIEILLESSE[1].

– Tiens, me disais-je, il paraît qu'il y a des gens qui vieillissent, là.

Et, comme on fait entre la veille et le sommeil, je retournais cette idée en tous sens dans mon esprit engourdi de douleur. Tout
70 à coup la carriole, en passant de l'avenue dans la grande route, a changé le point de vue de la lucarne. Les tours de Notre-Dame sont venues s'y encadrer bleues et à demi effacées dans la brume de Paris. Sur-le-champ le point de vue de mon esprit a changé aussi. J'étais devenu machine comme la voiture. À l'idée de Bicêtre
75 a succédé l'idée des tours de Notre-Dame. – Ceux qui seront sur la tour où est le drapeau verront bien[2], me suis-je dit en souriant stupidement !

Je crois que c'est à ce moment-là que le prêtre s'est remis à me parler. Je l'ai laissé dire patiemment. J'avais déjà dans l'oreille le
80 bruit des roues, le galop des chevaux, le fouet du postillon. C'était un bruit de plus.

J'écoutais en silence cette chute de paroles monotones qui assoupissaient ma pensée comme le murmure d'une fontaine, et qui passaient devant moi, toujours diverses et toujours les mêmes,
85 comme les ormeaux tortus[3] de la grande route, lorsque la voix brève et saccadée de l'huissier, placé sur le devant, est venue subitement me secouer.

– Eh bien ! monsieur l'abbé, disait-il avec un accent presque gai, qu'est-ce que vous savez de nouveau ?

90 C'est vers le prêtre qu'il se retournait en parlant ainsi.

L'aumônier, qui me parlait sans relâche, et que la voiture assourdissait, n'a pas répondu.

---

1. **Hospice de la vieillesse :** la prison de Bicêtre était à l'origine un hôpital pour les personnes âgées.
2. **Ceux qui seront sur la tour où est le drapeau verront bien :** ils verront bien mon exécution sur la place de Grève depuis le haut des tours de Notre-Dame. À l'époque où est achevé *Le Dernier Jour d'un condamné,* Hugo a déjà commencé à travailler sur son roman *Notre-Dame de Paris.*
3. **Ormeaux tortuts :** arbres tordus.

– Hé ! hé ! a repris l'huissier en haussant la voix pour avoir le dessus sur le bruit des roues ; infernale voiture !

95 Infernale ! En effet.

Il a continué :

– Sans doute, c'est le cahot ; on ne s'entend pas. Qu'est-ce que je voulais donc dire ? Faites-moi le plaisir de m'apprendre ce que je voulais dire, monsieur l'abbé ! – Ah ! savez-vous la grande nou-
100 velle de Paris, aujourd'hui ?

J'ai tressailli, comme s'il parlait de moi.

– Non, a dit le prêtre, qui avait enfin entendu, je n'ai pas eu le temps de lire les journaux ce matin. Je verrai cela ce soir. Quand je suis occupé comme cela toute la journée, je recommande au por-
105 tier de me garder mes journaux, et je les lis en rentrant.

– Bah ! a repris l'huissier, il est impossible que vous ne sachiez pas cela. La nouvelle de Paris ! la nouvelle de ce matin !

J'ai pris la parole : – Je crois la savoir.

L'huissier m'a regardé.

110 – Vous ! vraiment ! En ce cas, qu'en dites-vous ?

– Vous êtes curieux ! lui ai-je dit.

– Pourquoi, monsieur ? a répliqué l'huissier. Chacun a son opinion politique. Je vous estime trop pour croire que vous n'avez pas la vôtre. Quant à moi, je suis tout à fait d'avis du rétablissement
115 de la garde nationale[1]. J'étais sergent de ma compagnie, et, ma foi, c'était fort agréable.

Je l'ai interrompu.

– Je ne croyais pas que ce fût de cela qu'il s'agissait.

– Et de quoi donc ? Vous disiez savoir la nouvelle...

120 – Je parlais d'une autre, dont Paris s'occupe aussi aujourd'hui.

L'imbécile n'a pas compris ; sa curiosité s'est éveillée.

– Une autre nouvelle ? Où diable avez-vous pu apprendre des nouvelles ? Laquelle, de grâce, mon cher monsieur ? Savez-vous ce que c'est, monsieur l'abbé ? Êtes-vous plus au courant que moi ? Mettez-
125 moi au fait, je vous prie. De quoi s'agit-il ? – Voyez-vous, j'aime les nouvelles. Je les conte à monsieur le président, et cela l'amuse.

---

1. **Garde nationale :** troupe de citoyens recrutés dans la bourgeoisie destinée à renforcer la police et l'armée dont le rétablissement fut discuté par la chambre le 14 juillet 1828.

Et mille billevesées[1]. Il se tournait tour à tour vers le prêtre et vers moi, et je ne répondais qu'en haussant les épaules.

– Eh bien ! m'a-t-il dit, à quoi pensez-vous donc ?

130 – Je pense, ai-je répondu, que je ne penserai plus ce soir

– Ah ! c'est cela ! a-t-il répliqué. Allons, vous êtes trop triste ! M. Castaing causait.

Puis, après un silence :

– J'ai conduit M. Papavoine ; il avait sa casquette de loutre et 135 fumait son cigare. Quant aux jeunes gens de La Rochelle[2], ils ne parlaient qu'entre eux. Mais ils parlaient.

Il a fait encore une pause, et a poursuivi :

– Des fous ! des enthousiastes ! Ils avaient l'air de mépriser tout le monde. Pour ce qui est de vous, je vous trouve vraiment bien 140 pensif, jeune homme.

– Jeune homme ! lui ai-je dit, je suis plus vieux que vous ; chaque quart d'heure qui s'écoule me vieillit d'une année.

Il s'est retourné, m'a regardé quelques minutes avec un étonnement inepte, puis s'est mis à ricaner lourdement.

145 – Allons, vous voulez rire, plus vieux que moi ! je serais votre grand-père.

– Je ne veux pas rire, lui ai-je répondu gravement.

Il a ouvert sa tabatière.

– Tenez, cher monsieur, ne vous fâchez pas ; une prise de tabac, 150 et ne me gardez pas rancune.

– N'ayez pas peur ; je n'aurai pas longtemps à vous la garder.

En ce moment, sa tabatière, qu'il me tendait, a rencontré le grillage qui nous séparait. Un cahot a fait qu'elle l'a heurté assez violemment et est tombée toute ouverte sous les pieds du gendarme.

155 – Maudit grillage ! s'est écrié l'huissier. Il s'est tourné vers moi.

– Eh bien ! ne suis-je pas malheureux ? tout mon tabac est perdu !

– Je perds plus que vous, ai-je répondu en souriant.

Il a essayé de ramasser son tabac, en grommelant entre ses dents :

– Plus que moi ! cela est facile à dire. Pas de tabac jusqu'à Paris ! 160 c'est terrible !

---

1. **Billevesées :** propos frivoles ou sans intérêt.
2. **Les jeunes gens de La Rochelle :** les quatre sergents de La Rochelle (voir note 1, page 41).

L'aumônier alors lui a adressé quelques paroles de consolation, et je ne sais si j'étais préoccupé, mais il m'a semblé que c'était la suite de l'exhortation dont j'avais eu le commencement. Peu à peu la conversation s'est engagée entre le prêtre et l'huissier ; je les ai
165 laissés parler de leur côté, et je me suis mis à penser du mien.

En abordant la barrière[1], j'étais toujours préoccupé sans doute, mais Paris m'a paru faire un plus grand bruit qu'à l'ordinaire.

La voiture s'est arrêtée un moment devant l'octroi[2]. Les douaniers de ville l'ont inspectée. Si c'eût été un mouton ou un bœuf qu'on eût
170 mené à la boucherie, il aurait fallu leur jeter une bourse d'argent ; mais une tête humaine ne paie pas de droit. Nous avons passé.

Le boulevard franchi, la carriole s'est enfoncée au grand trot dans ces vieilles rues tortueuses du faubourg Saint-Marceau[3] et de la Cité[4], qui serpentent et s'entrecoupent comme les mille chemins
175 d'une fourmilière. Sur le pavé de ces rues étroites le roulement de la voiture est devenu si bruyant et si rapide que je n'entendais plus rien du bruit extérieur. Quand je jetais les yeux par la petite lucarne[5] carrée, il me semblait que le flot des passants s'arrêtait pour regarder la voiture, et que des bandes d'enfants couraient sur
180 sa trace. Il m'a semblé aussi voir de temps en temps dans les carrefours çà et là un homme ou une vieille en haillons, quelquefois les deux ensemble, tenant en main une liasse de feuilles imprimées[6] que les passants se disputaient, en ouvrant la bouche comme pour un grand cri.

185 Huit heures et demie sonnaient à l'horloge du Palais[7] au moment où nous sommes arrivés dans la cour de la Conciergerie. La vue de ce grand escalier, de cette noire chapelle, de ces guichets sinistres, m'a glacé. Quand la voiture s'est arrêtée, j'ai cru que les battements de mon cœur allaient s'arrêter aussi.

---

1. **La barrière :** les barrières étaient à l'époque les portes de Paris.
2. **L'octroi :** bureau où l'on devait payer l'octroi, une taxe pour entrer dans Paris.
3. **Faubourg Saint-Marceau :** quartier du centre de Paris situé sur l'île de la Cité.
4. **La Cité :** île de Paris où se trouve notamment la cathédrale Notre-Dame.
5. **Lucarne :** petite ouverture pratiquée dans un toit.
6. **Feuilles imprimées :** sorte de journaux où étaient annoncées les exécutions.
7. **Palais :** le Palais de Justice, dont la grande horloge est restée célèbre.

190 J'ai recueilli mes forces ; la porte s'est ouverte avec la rapidité de l'éclair ; j'ai sauté à bas du cachot roulant, et je me suis enfoncé à grands pas sous la voûte entre deux haies de soldats. Il s'était déjà formé une foule sur mon passage.

XXIII

Tant que j'ai marché dans les galeries publiques du Palais de Justice, je me suis senti presque libre et à l'aise ; mais toute ma résolution m'a abandonné quand on a ouvert devant moi des portes basses, des escaliers secrets, des couloirs intérieurs, de longs 5 corridors étouffés et sourds[1], où il n'entre que ceux qui condamnent ou ceux qui sont condamnés.

L'huissier m'accompagnait toujours. Le prêtre m'avait quitté pour revenir dans deux heures : il avait ses affaires.

On m'a conduit au cabinet du directeur, entre les mains duquel 10 l'huissier m'a remis. C'était un échange. Le directeur l'a prié d'attendre un instant, lui annonçant qu'il allait avoir du *gibier* à lui remettre, afin qu'il le conduisît sur-le-champ à Bicêtre par le retour de la carriole. Sans doute le condamné d'aujourd'hui, celui qui doit coucher ce soir sur la botte de paille que je n'ai pas eu le temps d'user.

15 – C'est bon, a dit l'huissier au directeur, je vais attendre un moment ; nous ferons les deux procès verbaux à la fois, cela s'arrange bien.

En attendant, on m'a déposé dans un petit cabinet attenant à celui du directeur. Là, on m'a laissé seul, bien verrouillé.

20 Je ne sais à quoi je pensais, ni depuis combien de temps j'étais là, quand un brusque et violent éclat de rire à mon oreille m'a réveillé de ma rêverie.

J'ai levé les yeux en tressaillant. Je n'étais plus seul dans la cellule. Un homme s'y trouvait avec moi, un homme d'environ cinquante-

---

1. **Sourds** : qui étouffent les bruits.

25 cinq ans, de moyenne taille ; ridé, voûté, grisonnant ; à membres trapus[1] ; avec un regard louche dans des yeux gris, un rire amer sur le visage ; sale, en guenilles, demi-nu, repoussant à voir.

Il paraît[2] que la porte s'était ouverte, l'avait vomi, puis s'était refermée sans que je m'en fusse aperçu. Si la mort pouvait venir ainsi !

30 Nous nous sommes regardés quelques secondes fixement, l'homme et moi ; lui, prolongeant son rire qui ressemblait à un râle ; moi, demi-étonné, demi-effrayé.

– Qui êtes-vous ? lui ai-je dit enfin.

– Drôle de demande ! a-t-il répondu. Un friauche[3].

35 – Un friauche ! Qu'est-ce que cela veut dire ?

Cette question a redoublé sa gaieté.

– Cela veut dire, s'est-il écrié au milieu d'un éclat de rire, que le taule jouera au panier avec ma sorbonne[4] dans six semaines, comme il va faire avec ta tronche dans six heures. – Ha ! ha ! il

40 paraît que tu comprends maintenant.

En effet, j'étais pâle, et mes cheveux se dressaient. C'était l'autre condamné, le condamné du jour, celui qu'on attendait à Bicêtre, mon héritier.

Il a continué :

45 – Que veux-tu ? voilà mon histoire à moi. Je suis fils d'un bon peigre ; c'est dommage que Charlot[5] ait pris la peine un jour de lui attacher sa cravate. C'était quand régnait la potence, par la grâce de Dieu. À six ans, je n'avais plus ni père ni mère ; l'été, je faisais la roue dans la poussière au bord des routes, pour qu'on me jetât un

50 sou par la portière des chaises de poste ; l'hiver, j'allais pieds nus dans la boue en soufflant dans mes doigts tout rouges ; on voyait mes cuisses à travers mon pantalon. À neuf ans, j'ai commencé à me servir de mes louches[6], de temps en temps je vidais une fouillouse[7],

---

1. **Trapus :** épais.
2. **Il paraît :** il apparaît.
3. **Friauche :** en argot, « condamné à mort ».
4. **Sorbonne :** en argot, tête.
5. **Charlot :** en argot, le « bourreau ».
6. **Louches :** en argot, « mains ».
7. **Fouillouse :** en argot, « poche ».

je filais une pelure[1] ; à dix ans, j'étais un marlou[2]. Puis j'ai fait des
55 connaissances ; à dix-sept, j'étais un grinche[3]. Je forçais une boutanche[4], je faussais une tournante[5]. On m'a pris. J'avais l'âge, on m'a envoyé ramer dans la petite marine[6]. Le bagne, c'est dur ; coucher sur une planche, boire de l'eau claire, manger du pain noir, traîner un imbécile de boulet qui ne sert à rien ; des coups de bâton et des
60 coups de soleil. Avec cela on est tondu, et moi qui avais de beaux cheveux châtains ! N'importe !... j'ai fait mon temps[7]. Quinze ans, cela s'arrache ! J'avais trente-deux ans. Un beau matin on me donna une feuille de route[8] et soixante-six francs que je m'étais amassés dans mes quinze ans de galères, en travaillant seize heures par jour,
65 trente jours par mois, et douze mois par année. C'est égal, je voulais être honnête homme avec mes soixante-six francs, et j'avais de plus beaux sentiments sous mes guenilles qu'il n'y en a sous une serpillière de ratichon[9]. Mais que les diables soient avec le passeport ! il était jaune[10], et on avait écrit dessus *forçat libéré*. Il fallait montrer
70 cela partout où je passais et le présenter tous les huit jours au maire du village où l'on me forçait de tapiquer[11]. La belle recommandation ! un galérien ! Je faisais peur, et les petits enfants se sauvaient, et l'on fermait les portes. Personne ne voulait me donner d'ouvrage. Je mangeai mes soixante-six francs. Et puis, il fallut vivre. Je montrai
75 mes bras bons au travail, on ferma les portes. J'offris ma journée pour quinze sous, pour dix sous, pour cinq sous. Point. Que faire ? Un jour, j'avais faim. Je donnai un coup de coude dans le carreau d'un boulanger ; j'empoignai un pain, et le boulanger m'empoigna ; je ne mangeai pas le pain, et j'eus les galères à perpétuité, avec trois
80 lettres de feu sur l'épaule. – Je te montrerai, si tu veux. – On appelle

---

1. **Je filais une pelure :** en argot, « je volais un manteau ».
2. **Un marlou :** en argot, « un voyou ».
3. **Grinche :** en argot, « voleur ».
4. **Boutanche :** en argot, « boutique ».
5. **Je faussais une tournante :** en argot, « je fabriquais une fausse clé ».
6. **La petite marine :** en argot, « les galères ».
7. **J'ai fait mon temps :** j'ai purgé ma peine.
8. **Feuille de route :** terme militaire désignant un itinéraire à suivre.
9. **Serpillière de ratichon :** en argot, « soutane d'abbé ».
10. **Jaune :** le jaune était la couleur des passeports des forçats.
11. **Tapiquer :** en argot, « habiter ».

cette justice-là *la récidive.* Me voilà donc cheval de retour[1]. On me remit à Toulon ; cette fois avec les bonnets verts[2]. Il fallait m'évader. Pour cela, je n'avais que trois murs à percer, deux chaînes à couper, et j'avais un clou. Je m'évadai. On tira le canon d'alerte ; car, nous
85 autres, nous sommes, comme les cardinaux de Rome, habillés de rouge, et on tire le canon quand nous partons. Leur poudre alla aux moineaux. Cette fois, pas de passeport jaune, mais pas d'argent non plus. Je rencontrai des camarades qui avaient aussi fait leur temps ou cassé leur ficelle[3]. Leur coire[4] me proposa d'être des leurs, on
90 faisait la grande soulasse sur le trimat[5]. J'acceptai, et je me mis à tuer pour vivre. C'était tantôt une diligence, tantôt une chaise de poste, tantôt un marchand de bœufs à cheval. On prenait l'argent, on laissait aller au hasard la bête ou la voiture, et l'on enterrait l'homme sous un arbre, en ayant soin que les pieds ne sortissent pas ; et puis
95 on dansait sur la fosse, pour que la terre ne parût pas fraîchement remuée. J'ai vieilli comme cela, gîtant[6] dans les broussailles, dormant aux belles étoiles, traqué de bois en bois, mais du moins libre et à moi. Tout a une fin, et autant celle-là qu'une autre. Les marchands de lacets[7], une belle nuit, nous ont pris au collet[8]. Mes fanandels[9]
100 se sont sauvés ; mais moi, le plus vieux, je suis resté sous la griffe de ces chats à chapeaux galonnés[10]. On m'a amené ici. J'avais déjà passé par tous les échelons de l'échelle, excepté un. Avoir volé un mouchoir ou tué un homme, c'était tout un pour moi désormais ; il y avait encore une *récidive* à m'appliquer. Je n'avais plus qu'à passer
105 par le faucheur[11]. Mon affaire a été courte. Ma foi, je commençais à

---

1. **Cheval de retour :** en argot, « récidiviste ».
2. **Les bonnets verts :** les condamnés à perpétuité.
3. **Cassé leur ficelle :** en argot, « qui s'étaient évadés ».
4. **Coire :** en argot, « chef ».
5. **On faisait la grande soulasse sur le trimat :** en argot, « on assassinait sur les grands chemins ».
6. **Gîtant :** en argot, « vivant ».
7. **Les marchands de lacets :** en argot, « les gendarmes ».
8. **Nous ont pris au collet :** terme de chasse signifiant « nous ont attrapés ».
9. **Fanandels :** en argot, « camarades ».
10. **Galonnés :** ornés de galons.
11. **Le faucheur :** en argot, « le bourreau ».

vieillir et à n'être plus bon à rien. Mon père a épousé la veuve[1], moi je me retire à l'abbaye de Mont'-à-Regret[2]. – Voilà, camarade.

J'étais resté stupide en l'écoutant. Il s'est remis à rire plus haut encore qu'en commençant, et a voulu me prendre la main. J'ai
110 reculé avec horreur.

– L'ami, m'a-t-il dit, tu n'as pas l'air brave. Ne va pas faire le sinvre devant la carline[3]. Vois-tu, il y a un mauvais moment à passer sur la placarde[4] ; mais cela est sitôt fait ! Je voudrais être là pour te montrer la culbute[5]. Mille dieux ! j'ai envie de ne pas me pourvoir,
115 si l'on veut me faucher[6] aujourd'hui avec toi. Le même prêtre nous servira à tous deux ; ça m'est égal d'avoir tes restes. Tu vois que je suis un bon garçon. Hein ! dis, veux-tu ? d'amitié !

Il a encore fait un pas pour s'approcher de moi.

– Monsieur, lui ai-je répondu en le repoussant, je vous remercie.
120 Nouveaux éclats de rire à ma réponse.

– Ah ! ah ! monsieur, vousailles[7] êtes un marquis[8] ! c'est un marquis !

Je l'ai interrompu :

– Mon ami, j'ai besoin de me recueillir, laissez-moi.
125 La gravité de ma parole l'a rendu pensif tout à coup. Il a remué sa tête grise et presque chauve ; puis, creusant avec ses ongles sa poitrine velue, qui s'offrait nue sous sa chemise ouverte :

– Je comprends, a-t-il murmuré entre ses dents ; au fait, le sanglier[9] !...

Puis, après quelques minutes de silence :
130 – Tenez, m'a-t-il dit presque timidement, vous êtes un marquis, c'est fort bien ; mais vous avez là une belle redingote[10] qui ne vous

1. **A épousé la veuve :** en argot, « a été pendu ».
2. **L'abbaye de Mont'-à-Regret :** en argot, « la guillotine ».
3. **Faire le sinvre devant la carline :** en argot, « être lâche devant la mort ».
4. **La placarde :** en argot, « la place de Grève ».
5. **Te montrer la culbute :** « être exécuté avec toi ».
6. **Faucher :** en argot, « guillotiner ».
7. **Vousailles :** en argot, « vous ».
8. **Un marquis :** en argot, « un riche ».
9. **Le sanglier :** en argot, « le prêtre ».
10. **Redingote :** long manteau, vêtement traditionnel des bourgeois.

servira plus à grand-chose ! le taule la prendra. Donnez-la-moi, je la vendrai pour avoir du tabac.

J'ai ôté ma redingote et je la lui ai donnée. Il s'est mis à battre des mains avec une joie d'enfant. Puis, voyant que j'étais en chemise et que je grelottais :

– Vous avez froid, monsieur, mettez ceci ; il pleut, et vous seriez mouillé ; et puis il faut être décemment sur la charrette[1].

En parlant ainsi, il ôtait sa grosse veste de laine grise, et la passait dans mes bras. Je le laissais faire.

Alors j'ai été m'appuyer contre le mur, et je ne saurais dire quel effet me faisait cet homme. Il s'était mis à examiner la redingote que je lui avais donnée, et poussait à chaque instant des cris de joie.

– Les poches sont toutes neuves ! le collet[2] n'est pas usé ! – j'en aurai au moins quinze francs[3]. – Quel bonheur ! du tabac pour mes six semaines !

La porte s'est rouverte. On venait nous chercher tous deux ; moi, pour me conduire à la chambre où les condamnés attendent l'heure ; lui, pour le mener à Bicêtre. Il s'est placé en riant au milieu du piquet qui devait l'emmener, et il disait aux gendarmes :

– Ah ça ! ne vous trompez pas ; nous avons changé de pelure, monsieur et moi ; mais ne me prenez pas à sa place. Diable ! cela ne m'arrangerait pas, maintenant que j'ai de quoi avoir du tabac !

XXIV

Ce vieux scélérat, il m'a pris ma redingote, car je ne la lui ai pas donnée, et puis il m'a laissé cette guenille, sa veste infâme. De qui vais-je avoir l'air ?

---

1. **La charrette :** les condamnés à mort étaient amenés jusqu'à l'échafaud sur une charrette.
2. **Le collet :** le col.
3. **Quinze francs :** à l'époque, la somme correspond à plusieurs jours de travail d'un ouvrier.

Je ne lui ai pas laissé prendre ma redingote par insouciance ou par charité. Non ; mais parce qu'il était plus fort que moi. Si j'avais refusé, il m'aurait battu avec ses gros poings.

Ah bien oui, charité ! j'étais plein de mauvais sentiments. J'aurais voulu pouvoir l'étrangler de mes mains, le vieux voleur ! pouvoir le piler[1] sous mes pieds !

Je me sens le cœur plein de rage et d'amertume. Je crois que la poche au fiel a crevé. La mort rend méchant.

XXV

Ils m'ont amené dans une cellule où il n'y a que les quatre murs, avec beaucoup de barreaux à la fenêtre et beaucoup de verrous à la porte, cela va sans dire.

J'ai demandé une table, une chaise, et ce qu'il faut pour écrire. On m'a apporté tout cela.

Puis j'ai demandé un lit. Le guichetier m'a regardé de ce regard étonné qui semble dire : – À quoi bon ?

Cependant ils ont dressé un lit de sangle[2] dans le coin. Mais en même temps un gendarme est venu s'installer dans ce qu'ils appellent *ma chambre*. Est-ce qu'ils ont peur que je ne m'étrangle avec le matelas ?

XXVI

Il est dix heures.

Ô ma pauvre petite fille ! encore six heures, et je serai mort ! je serai quelque chose d'immonde qui traînera sur la table froide des

1. **Le piler :** l'écraser.
2. **Un lit de sangle :** un lit suspendu par des sangles.

amphithéâtres[1] ; une tête qu'on moulera d'un côté, un tronc qu'on
5 disséquera de l'autre ; puis de ce qui restera, on en mettra plein une bière[2], et le tout à Clamart.

Voilà ce qu'ils vont faire de ton père, ces hommes dont aucun ne me hait, qui tous me plaignent et tous pourraient me sauver. Ils vont me tuer. Comprends-tu cela, Marie ? me tuer de sang-froid,
10 en cérémonie, pour le bien de la chose ! Ah ! grand Dieu !

Pauvre petite ! ton père qui t'aimait tant, ton père qui baisait ton petit cou blanc et parfumé, qui passait la main sans cesse dans les boucles de tes cheveux comme sur de la soie, qui prenait ton joli visage rond dans sa main, qui te faisait sauter sur ses genoux, et le
15 soir joignait tes deux petites mains pour prier Dieu !

Qui est-ce qui te fera tout cela maintenant ? Qui est-ce qui t'aimera ? Tous les enfants de ton âge auront des pères, excepté toi. Comment te déshabitueras-tu, mon enfant, du jour de l'An, des étrennes, des beaux joujoux, des bonbons et des baisers ?
20 – Comment te déshabitueras-tu, malheureuse orpheline, de boire et de manger ?

Oh ! si ces jurés l'avaient vue, au moins, ma jolie petite Marie ! ils auraient compris qu'il ne faut pas tuer le père d'un enfant de trois ans.

25 Et quand elle sera grande, si elle va jusque-là, que deviendra-t-elle ? Son père sera un des souvenirs du peuple de Paris. Elle rougira de moi et de mon nom ; elle sera méprisée, repoussée, vile à cause de moi, de moi qui l'aime de toutes les tendresses de mon cœur. Ô ma petite Marie bien-aimée ! Est-il bien vrai que tu auras
30 honte et horreur de moi ?

Misérable ! quel crime j'ai commis, et quel crime je fais commettre à la société !

Oh ! est-il bien vrai que je vais mourir avant la fin du jour ? Est-il bien vrai que c'est moi ? Ce bruit sourd de cris que j'entends au-
35 dehors, ce flot de peuple joyeux qui déjà se hâte sur les quais, ces gendarmes qui s'apprêtent dans leurs casernes, ce prêtre en robe noire, cet autre homme aux mains rouges, c'est pour moi ! c'est moi qui vais mourir ! moi, le même qui est ici, qui vit, qui se meut, qui

1. **Amphithéâtres :** salles des facultés de médecine où étaient disséqués les cadavres.
2. **Une bière :** un cercueil.

respire, qui est assis à cette table, laquelle ressemble à une autre
40 table, et pourrait aussi bien être ailleurs ; moi, enfin, ce moi que je touche et que je sens, et dont le vêtement fait les plis que voilà !

XXVII

Encore si je savais comment cela est fait, et de quelle façon on meurt là-dessus ! mais c'est horrible, je ne le sais pas.

Le nom de la chose est effroyable, et je ne comprends point comment j'ai pu jusqu'à présent l'écrire et le prononcer.

5 La combinaison de ces dix lettres, leur aspect, leur physionomie, est bien faite pour réveiller une idée épouvantable, et le médecin de malheur qui a inventé la chose avait un nom prédestiné[1].

L'image que j'y attache, à ce mot hideux, est vague, indéterminée, et d'autant plus sinistre. Chaque syllabe est comme une pièce
10 de la machine. J'en construis et j'en démolis sans cesse dans mon esprit la monstrueuse charpente.

Je n'ose faire une question là-dessus, mais il est affreux de ne savoir ce que c'est, ni comment s'y prendre. Il paraît qu'il y a une bascule et qu'on vous couche sur le ventre...

15 – Ah ! mes cheveux blanchiront avant que ma tête ne tombe !

XXVIII

Je l'ai cependant entrevue une fois.

Je passais sur la place de Grève, en voiture, un jour, vers onze heures du matin. Tout à coup la voiture s'arrêta.

Il y avait foule sur la place. Je mis la tête à la portière. Une popu-
5 lace encombrait la Grève et le quai, et des femmes, des hommes,

1. **Prédestiné :** marqué à l'avance par le destin.

des enfants étaient debout sur le parapet. Au-dessus des têtes, on voyait une espèce d'estrade en bois rouge que trois hommes échafaudaient.

Un condamné devait être exécuté le jour même, et l'on bâtissait 10 la machine.

Je détournai la tête avant d'avoir vu. À côté de la voiture, il y avait une femme qui disait à un enfant :

– Tiens, regarde ! le couteau coule mal[1], ils vont graisser la rainure avec un bout de chandelle.

15 C'est probablement là qu'ils en sont aujourd'hui. Onze heures viennent de sonner. Ils graissent sans doute la rainure.

Ah ! cette fois, malheureux, je ne détournerai pas la tête.

XXIX

Ô ma grâce ! ma grâce ! on me fera peut-être grâce. Le roi ne m'en veut pas. Qu'on aille chercher mon avocat ! vite l'avocat ! Je veux bien des galères. Cinq ans de galères, et que tout soit dit – ou vingt ans –, ou à perpétuité avec le fer rouge[2]. Mais grâce de la vie !

5 Un forçat, cela marche encore, cela va et vient, cela voit le soleil.

XXX

Le prêtre est revenu.

Il a des cheveux blancs, l'air très doux, une bonne et respectable figure ; c'est en effet un homme excellent et charitable. Ce matin, je l'ai vu vider sa bourse dans les mains des prisonniers. D'où vient

1. **Le couteau coule mal :** la lame de la guillotine glisse mal.
2. **Le fer rouge :** les bagnards condamnés à perpétuité étaient marqués au fer rouge.

5 que sa voix n'a rien qui émeuve et qui soit ému ? D'où vient qu'il ne m'a rien dit encore qui m'ait pris par l'intelligence ou par le cœur ?

Ce matin, j'étais égaré. J'ai à peine entendu ce qu'il m'a dit. Cependant ses paroles m'ont semblé inutiles, et je suis resté indif-10 férent ; elles ont glissé comme cette pluie froide sur cette vitre glacée.

Cependant, quand il est rentré tout à l'heure près de moi, sa vue m'a fait du bien. C'est parmi tous ces hommes le seul qui soit encore homme pour moi, me suis-je dit. Et il m'a pris une ardente 15 soif de bonnes et consolantes paroles.

Nous nous sommes assis, lui sur la chaise, moi sur le lit. Il m'a dit : – Mon fils... – Ce mot m'a ouvert le cœur. Il a continué :

– Mon fils, croyez-vous en Dieu ?

– Oui, mon père, lui ai-je répondu.

20 – Croyez-vous en la sainte église catholique, apostolique et romaine[1] ?

– Volontiers, lui ai-je dit.

– Mon fils, a-t-il repris, vous avez l'air de douter.

Alors il s'est mis à parler. Il a parlé longtemps ; il a dit beau-25 coup de paroles ; puis, quand il a cru avoir fini, il s'est levé et m'a regardé pour la première fois depuis le commencement de son discours, en m'interrogeant :

– Eh bien ?

Je proteste que je l'avais écouté avec avidité d'abord, puis avec 30 attention, puis avec dévouement.

Je me suis levé aussi.

– Monsieur, lui ai-je répondu, laissez-moi seul, je vous prie.

Il m'a demandé :

– Quand reviendrai-je ?

35 – Je vous le ferai savoir

Alors il est sorti sans colère, mais en hochant la tête, comme se disant à lui-même :

– Un impie !

---

1. **La sainte église catholique, apostolique et romaine :** formule liturgique traditionnelle pour désigner la religion catholique.

Non, si bas que je sois tombé, je ne suis pas un impie, et Dieu
40 m'est témoin que je crois en lui. Mais que m'a-t-il dit, ce vieillard ? rien de senti, rien d'attendri, rien de pleuré, rien d'arraché de l'âme, rien qui vînt de son cœur pour aller au mien, rien qui fût de lui à moi. Au contraire, je ne sais quoi de vague, d'inaccentué[1], d'applicable à tout et à tous ; emphatique où il eût été besoin de
45 profondeur, plat où il eût fallu être simple ; une espèce de sermon[2] sentimental et d'élégie[3] théologique[4]. Çà et là, une citation latine en latin. Saint Augustin, saint Grégoire[5], que sais-je ? Et puis, il avait l'air de réciter une leçon déjà vingt fois récitée, de repasser un thème[6], oblitéré[7] dans sa mémoire à force d'être su. Pas un regard
50 dans l'œil, pas un accent dans la voix, pas un geste dans les mains.

Et comment en serait-il autrement ? Ce prêtre est l'aumônier en titre de la prison. Son état est de consoler et d'exhorter, et il vit de cela. Les forçats, les patients sont du ressort de son éloquence. Il les confesse et les assiste, parce qu'il a sa place à faire. Il a vieilli à
55 mener des hommes mourir. Depuis longtemps il est habitué à ce qui fait frissonner les autres ; ses cheveux, bien poudrés à blanc, ne se dressent plus ; le bagne et l'échafaud sont de tous les jours pour lui. Il est blasé[8]. Probablement il a son cahier ; telle page les galériens, telle page les condamnés à mort. On l'avertit la veille
60 qu'il y aura quelqu'un à consoler le lendemain à telle heure ; il demande ce que c'est, galérien ou supplicié ? en relit la page ; et puis il vient. De cette façon, il advient que ceux qui vont à Toulon et ceux qui vont à la Grève sont un lieu commun pour lui, et qu'il est un lieu commun pour eux.

65 Oh ! qu'on m'aille donc, au lieu de cela, chercher quelque jeune vicaire[9], quelque vieux curé, au hasard, dans la première paroisse

1. **Inaccentué :** monotone.
2. **Sermon :** discours prononcé par un prêtre.
3. **Élégie :** poésie triste.
4. **Théologique :** religieuse.
5. **Saint Augustin, saint Grégoire :** éminentes figures du catholicisme.
6. **Repasser un thème :** répéter un exercice.
7. **Oblitéré :** effacé.
8. **Blasé :** lassé.
9. **Vicaire :** adjoint d'un prêtre.

venue ; qu'on le prenne au coin de son feu, lisant son livre et ne s'attendant à rien, et qu'on lui dise :

– Il y a un homme qui va mourir, et il faut que ce soit vous qui
70 le consoliez. Il faut que vous soyez là quand on lui liera les mains, là quand on lui coupera les cheveux ; que vous montiez dans sa charrette avec votre crucifix pour lui cacher le bourreau ; que vous soyez cahoté avec lui par le pavé jusqu'à la Grève ; que vous traversiez avec lui l'horrible foule buveuse de sang ; que vous
75 l'embrassiez au pied de l'échafaud, et que vous restiez jusqu'à ce que la tête soit ici et le corps là.

Alors, qu'on me l'amène, tout palpitant, tout frissonnant de la tête aux pieds ; qu'on me jette entre ses bras, à ses genoux ; et il pleurera, et nous pleurerons, et il sera éloquent, et je serai consolé,
80 et mon cœur se dégonflera dans le sien, et il prendra mon âme, et je prendrai son Dieu.

Mais ce bon vieillard, qu'est-il pour moi ? que suis-je pour lui ? un individu de l'espèce malheureuse, une ombre comme il en a déjà tant vu, une unité à ajouter au chiffre des exécutions.

85 J'ai peut-être tort de le repousser ainsi ; c'est lui qui est bon et moi qui suis mauvais. Hélas ! ce n'est pas ma faute. C'est mon souffle de condamné qui gâte et flétrit tout.

On vient de m'apporter de la nourriture ; ils ont cru que je devais avoir besoin. Une table délicate et recherchée, un poulet, il
90 me semble, et autre chose encore. Eh bien ! j'ai essayé de manger ; mais, à la première bouchée, tout est tombé de ma bouche, tant cela m'a paru amer et fétide[1] !

XXXI

Il vient d'entrer un monsieur, le chapeau sur la tête, qui m'a à peine regardé, puis a ouvert un pied-de-roi[2] et s'est mis à mesurer

1. **Fétide :** dont l'odeur est répugnante.
2. **Pied-de-roi :** mètre servant à prendre des mesures.

de bas en haut les pierres du mur, parlant d'une voix très haute pour dire tantôt : *C'est cela* ; tantôt : *Ce n'est pas cela.*

5 J'ai demandé au gendarme qui c'était. Il paraît que c'est une espèce de sous-architecte employé à la prison.

De son côté, sa curiosité s'est éveillée sur mon compte. Il a échangé quelques demi-mots avec le porte-clefs qui l'accompagnait ; puis a fixé un instant les yeux sur moi, a secoué la tête d'un
10 air insouciant, et s'est remis à parler à haute voix et à prendre des mesures.

Sa besogne finie, il s'est approché de moi en me disant avec sa voix éclatante :

– Mon bon ami, dans six mois cette prison sera beaucoup mieux.

15 Et son geste semblait ajouter :

– Vous n'en jouirez pas, c'est dommage.

Il souriait presque. J'ai cru voir le moment où il allait me railler[1] doucement, comme on plaisante une jeune mariée le soir de ses noces.

20 Mon gendarme, vieux soldat à chevrons[2], s'est chargé de la réponse.

– Monsieur, lui a-t-il dit, on ne parle pas si haut dans la chambre d'un mort.

L'architecte s'en est allé.

25 Moi, j'étais là, comme une des pierres qu'il mesurait.

XXXII

Et puis, il m'est arrivé une chose ridicule.

On est venu relever mon bon vieux gendarme, auquel, ingrat égoïste que je suis, je n'ai seulement pas serré la main. Un autre l'a remplacé : homme à front déprimé, des yeux de bœuf, une figure inepte[3].

---

1. **Me railler :** se moquer de moi.
2. **Chevrons :** galons indiquant le grade d'un soldat.
3. **Inepte :** imbécile.

Au reste, je n'y avais fait aucune attention. Je tournais le dos à la porte, assis devant la table ; je tâchais de rafraîchir mon front avec ma main, et mes pensées troublaient mon esprit.

Un léger coup, frappé sur mon épaule, m'a fait tourner la tête. C'était le nouveau gendarme, avec qui j'étais seul.

Voici à peu près de quelle façon il m'a adressé la parole.

– Criminel, avez-vous bon cœur ?

– Non, lui ai-je dit.

La brusquerie de ma réponse a paru le déconcerter. Cependant il a repris en hésitant :

– On n'est pas méchant pour le plaisir de l'être.

– Pourquoi non ? ai-je répliqué. Si vous n'avez que cela à me dire, laissez-moi. Où voulez-vous en venir ?

– Pardon, mon criminel, a-t-il répondu. Deux mots seulement. Voici. Si vous pouviez faire le bonheur d'un pauvre homme, et que cela ne vous coûtât rien, est-ce que vous ne le feriez pas ?

J'ai haussé les épaules.

– Est-ce que vous arrivez de Charenton[1] ? Vous choisissez un singulier vase pour y puiser du bonheur. Moi, faire le bonheur de quelqu'un !

Il a baissé la voix et pris un air mystérieux, ce qui n'allait pas à sa figure idiote.

– Oui, criminel, oui bonheur, oui fortune. Tout cela me sera venu de vous. Voici. Je suis un pauvre gendarme. Le service est lourd, la paye est légère ; mon cheval est à moi et me ruine. Or, je mets à la loterie pour contre-balancer[2]. Il faut bien avoir une industrie[3]. Jusqu'ici il ne m'a manqué pour gagner que d'avoir de bons numéros. J'en cherche partout de sûrs ; je tombe toujours à côté. Je mets le 76[4] ; il sort le 77. J'ai beau les nourrir[5], ils ne viennent pas... – Un

---

1. **Vous arrivez de Charenton ? :** comprendre « êtes-vous fou ? » (Charenton est le lieu d'un célèbre asile).
2. **Je mets à la loterie pour contre-balancer :** comprendre « je joue à la loterie pour compenser mes faibles revenus ».
3. **Une industrie :** une occupation, un passe-temps.
4. **76 :** le chiffre est symbolique car il correspond au nombre de pairs (députés) nommés par Charles X en 1827.
5. **Les nourrir :** les rejouer.

peu de patience, s'il vous plaît, je suis à la fin. – Or, voici une belle occasion pour moi. Il paraît, pardon, criminel, que vous passez aujourd'hui. Il est certain que les morts qu'on fait périr comme cela voient la loterie d'avance. Promettez-moi de venir demain soir, qu'est-ce que cela vous fait ? me donner trois numéros, trois bons. Hein ? – Je n'ai pas peur des revenants, soyez tranquille. – Voici mon adresse : Caserne Popincourt, escalier A, n° 26[1], au fond du corridor. Vous me reconnaîtrez bien, n'est-ce pas ? – Venez même ce soir, si cela vous est plus commode.

J'aurais dédaigné de lui répondre, à cet imbécile, si une espérance folle ne m'avait traversé l'esprit. Dans la position désespérée où je suis, on croit par moments qu'on briserait une chaîne avec un cheveu.

– Écoute, lui ai-je dit en faisant le comédien autant que le peut faire celui qui va mourir, je puis en effet te rendre plus riche que le roi, te faire gagner des millions. À une condition.

Il ouvrait des yeux stupides.

– Laquelle ? laquelle ? tout pour vous plaire, mon criminel.

– Au lieu de trois numéros, je t'en promets quatre. Change d'habits avec moi.

– Si ce n'est que cela ! s'est-il écrié en défaisant les premières agrafes de son uniforme.

Je m'étais levé de ma chaise. J'observais tous ses mouvements, mon cœur palpitait. Je voyais déjà les portes s'ouvrir devant l'uniforme de gendarme, et la place, et la rue, et le Palais de Justice derrière moi !

Mais il s'est retourné d'un air indécis.

– Ah çà ! ce n'est pas pour sortir d'ici ?

J'ai compris que tout était perdu. Cependant j'ai tenté un dernier effort, bien inutile et bien insensé !

– Si fait, lui ai-je dit, mais ta fortune est faite...

Il m'a interrompu.

– Ah bien non ! tiens ! et mes numéros ! Pour qu'ils soient bons, il faut que vous soyez mort.

Je me suis rassis, muet et plus désespéré de toute l'espérance que j'avais eue.

1. **Caserne Popincourt, escalier A, n° 26 :** l'adresse était réelle et correspondait à un souvenir de Hugo.

XXXIII

J'ai fermé les yeux, et j'ai mis les mains dessus, et j'ai tâché d'oublier, d'oublier le présent dans le passé. Tandis que je rêve, les souvenirs de mon enfance et de ma jeunesse me reviennent un à un, doux, calmes, riants, comme des îles de fleurs sur ce gouffre de pensées noires et confuses qui tourbillonnent dans mon cerveau.

Je me revois enfant, écolier rieur et frais, jouant, courant, criant avec mes frères dans la grande allée verte de ce jardin sauvage[1] où ont coulé mes premières années, ancien enclos de religieuses que domine de sa tête de plomb le sombre dôme du Val-de-Grâce.

Et puis, quatre ans plus tard, m'y voilà encore, toujours enfant, mais déjà rêveur et passionné. Il y a une jeune fille dans le solitaire jardin.

La petite Espagnole, avec ses grands yeux et ses grands cheveux, sa peau brune et dorée, ses lèvres rouges et ses joues roses, l'Andalouse de quatorze ans, Pepa.

Nos mères nous ont dit d'aller courir ensemble : nous sommes venus nous promener.

On nous a dit de jouer, et nous causons, enfants du même âge, non du même sexe.

Pourtant, il n'y a encore qu'un an, nous courions, nous luttions ensemble. Je disputais à Pepita[2] la plus belle pomme du pommier ; je la frappais pour un nid d'oiseau. Elle pleurait ; je disais : C'est bien fait ! et nous allions tous deux nous plaindre ensemble à nos mères, qui nous donnaient tort tout haut et raison tout bas.

Maintenant elle s'appuie sur mon bras, et je suis tout fier et tout ému. Nous marchons lentement, nous parlons bas. Elle laisse tomber son mouchoir ; je le lui ramasse. Nos mains tremblent en se touchant. Elle me parle des petits oiseaux, de l'étoile qu'on voit là-bas, du couchant vermeil derrière les arbres, ou bien de ses amies de pension, de sa robe et de ses rubans. Nous disons des choses innocentes, et nous rougissons tous deux. La petite fille est devenue jeune fille.

---

1. **Ce jardin sauvage :** il s'agit du jardin des Feuillantines, près du Val-de-Grâce à Paris, où Hugo a passé son enfance avec sa mère.
2. **Pepita :** diminutif de Pepa.

Ce soir-là, – c'était un soir d'été, – nous étions sous les marronniers, au fond du jardin. Après un de ces longs silences qui remplissaient nos promenades, elle quitta tout à coup mon bras, et me
35 dit : Courons !

Je la vois encore, elle était tout en noir, en deuil de sa grand-mère. Il lui passa par la tête une idée d'enfant, Pepa redevint Pepita, elle me dit : Courons !

Et elle se mit à courir devant moi avec sa taille fine comme le
40 corset d'une abeille et ses petits pieds qui relevaient sa robe jusqu'à mi-jambe. Je la poursuivis, elle fuyait ; le vent de sa course soulevait par moments sa pèlerine[1] noire, et me laissait voir son dos brun et frais.

J'étais hors de moi. Je l'atteignis près du vieux puisard en ruine ;
45 je la pris par la ceinture, du droit de victoire, et je la fis asseoir sur un banc de gazon ; elle ne résista pas. Elle était essoufflée et riait. Moi j'étais sérieux, et je regardais ses prunelles noires à travers ses cils noirs.

– Asseyez-vous là, me dit-elle. Il fait encore grand jour, lisons
50 quelque chose. Avez-vous un livre ?

J'avais sur moi le tome second des *Voyages* de Spallanzani[2]. J'ouvris au hasard, je me rapprochai d'elle, elle appuya son épaule à mon épaule, et nous nous mîmes à lire chacun de notre côté, tout bas, la même page. Avant de tourner le feuillet, elle était toujours
55 obligée de m'attendre. Mon esprit allait moins vite que le sien.

– Avez-vous fini ? me disait-elle, que j'avais à peine commencé.

Cependant nos têtes se touchaient, nos cheveux se mêlaient, nos haleines peu à peu se rapprochèrent, et nos bouches tout à coup.

Quand nous voulûmes continuer notre lecture, le ciel était étoilé.
60 – Oh ! maman, maman, dit-elle en rentrant, si tu savais comme nous avons couru !

Moi, je gardais le silence.

– Tu ne dis rien, me dit ma mère, tu as l'air triste.

J'avais le paradis dans le cœur.
65 C'est une soirée que je me rappellerai toute ma vie.

Toute ma vie !

---

1. **Pèlerine :** grand manteau.
2. ***Voyages* de Spallanzani :** récits de voyage de la fin du XVIIIe siècle.

Clefs d'analyse

Le Dernier Jour d'un condamné,
chap. XXXIII

Action et personnages

1. À quel moment et où se passe la scène décrite par le narrateur ?
2. Le narrateur est-il endormi ? Rêve-t-il vraiment ?
3. Que lisent les enfants ? À votre avis, pourquoi choisissent-ils ce livre ?
4. Pourquoi le narrateur reste-t-il silencieux face aux questions de Pepa ?
5. Quelle est la réaction de la mère du condamné ? Pourquoi Hugo nous donne-t-il si peu de détails ?

Langue

6. « Rieur » (ligne 6) et « riants » (ligne 4) : quel est le point commun de ces deux mots ? Quelle est leur différence ?
7. Qu'est-ce que la « tête de plomb » du « Val-de-Grâce » (ligne 9) ? Quel procédé littéraire le narrateur utilise-t-il ? Quel est l'effet produit ?
8. « La petite Espagnole, avec ses grands yeux et ses grands cheveux, [...] l'Andalouse de quatorze ans, Pepa » (lignes 12-14) : cette phrase a-t-elle un verbe ? Pourquoi ?

Genre ou thèmes

9. Quelle est la tonalité de ce chapitre ? Citez d'autres passages du roman pouvant se rapprocher de celui-ci.
10. Quelles sont les autres figures féminines du *Dernier Jour d'un condamné* ?
11. Comparez ce chapitre avec les autres récits de rêve du roman.

Écriture

12. Vous ferez le récit d'un rêve d'enfance heureux, en vous attachant à en mettre en scène les personnages et les lieux. Vous pourrez, éventuellement, comparer votre enfance à votre situation présente.

Pour aller plus loin

13. Ce chapitre est différent du reste du roman : expliquez en quoi. Pourquoi est-il placé à ce moment-là du roman ? Selon vous, quelle est sa fonction ?
14. Le récit du narrateur s'appuie sur les propres souvenirs d'enfance de Hugo. À l'aide de ce volume, d'un dictionnaire, d'une encyclopédie, ou encore d'Internet, essayez d'en savoir plus.
15. Pourquoi Hugo imagine-t-il que l'amour de jeunesse du condamné est une jeune Espagnole ? Faites des recherches sur la vie de Hugo pour répondre à cette question.
16. Connaissez-vous d'autres romans qui mettent en scène des amours d'enfants ? Ce thème vous semble-t-il intéressant ?

✻ *À retenir*

On a souvent reproché au *Dernier Jour d'un condamné* de nous laisser sans informations sur la vie et le passé de son personnage principal. Le chapitre XXXIII, qui relate le rêve d'un souvenir d'enfance et met en scène une compagne de jeu du prisonnier, nous présente au contraire une scène très intime et touchante. Celle-ci humanise le prisonnier, c'est-à-dire en fait un être humain comme un autre auquel le lecteur peut s'identifier, et rend plus sensible encore l'horreur de son châtiment à venir.

XXXIV

Une heure vient de sonner. Je ne sais laquelle : j'entends mal le marteau de l'horloge. Il me semble que j'ai un bruit d'orgue dans les oreilles ; ce sont mes dernières pensées qui bourdonnent.

À ce moment suprême où je me recueille dans mes souvenirs, 5 j'y retrouve mon crime avec horreur ; mais je voudrais me repentir davantage encore. J'avais plus de remords avant ma condamnation ; depuis, il semble qu'il n'y ait plus de place que pour les pensées de mort. Pourtant, je voudrais bien me repentir beaucoup.

Quand j'ai rêvé une minute à ce qu'il y a de passé dans ma vie, 10 et que j'en reviens au coup de hache qui doit la terminer tout à l'heure, je frissonne comme d'une chose nouvelle. Ma belle enfance ! ma belle jeunesse ! étoffe dorée dont l'extrémité est sanglante. Entre alors et à présent, il y a une rivière de sang, le sang de l'autre et le mien.

15 Si on lit un jour mon histoire, après tant d'années d'innocence et de bonheur, on ne voudra pas croire à cette année exécrable, qui s'ouvre par un crime et se clôt par un supplice ; elle aura l'air dépareillée[1].

Et pourtant, misérables lois et misérables hommes, je n'étais pas 20 un méchant !

Oh ! mourir dans quelques heures, et penser qu'il y a un an, à pareil jour, j'étais libre et pur, que je faisais mes promenades d'automne, que j'errais sous les arbres, et que je marchais dans les feuilles !

XXXV

En ce moment même, il y a tout auprès de moi, dans ces maisons qui font cercle autour du Palais et de la Grève, et partout dans

1. **Dépareillée :** séparée en petits morceaux.

Paris, des hommes qui vont et viennent, causent et rient, lisent le journal, pensent à leurs affaires ; des marchands qui vendent ; des
5 jeunes filles qui préparent leurs robes de bal pour ce soir ; des mères qui jouent avec leurs enfants !

XXXVI

Je me souviens qu'un jour, étant enfant, j'allai voir le bourdon[1] de Notre-Dame.

J'étais déjà étourdi d'avoir monté le sombre escalier en colimaçon, d'avoir parcouru la frêle galerie qui lie les deux tours, d'avoir
5 eu Paris sous les pieds, quand j'entrai dans la cage de pierre et de charpente où pend le bourdon avec son battant, qui pèse un millier[2].

J'avançai en tremblant sur les planches mal jointes, regardant à distance cette cloche si fameuse parmi les enfants et le peuple de
10 Paris, et ne remarquant pas sans effroi que les auvents[3] couverts d'ardoises qui entourent le clocher de leurs plans inclinés étaient au niveau de mes pieds. Dans les intervalles, je voyais, en quelque sorte à vol d'oiseau, la place du Parvis-Notre-Dame[4], et les passants comme des fourmis.

15 Tout à coup l'énorme cloche tinta, une vibration profonde remua l'air, fit osciller la lourde tour. Le plancher sautait sur les poutres. Le bruit faillit me renverser ; je chancelai, prêt à tomber, prêt à glisser sur les auvents d'ardoises en pente. De terreur, je me couchai sur les planches, les serrant étroitement de mes deux bras, sans
20 parole, sans haleine, avec ce formidable tintement dans les oreilles, et sous les yeux ce précipice, cette place profonde où se croisaient tant de passants paisibles et enviés.

---

1. **Le bourdon :** la plus grosse cloche d'une église. Le bourdon de Notre-Dame a un rôle important dans *Notre-Dame de Paris.*
2. **Un millier :** abréviation de « mille livres », soit 500 kg.
3. **Auvents :** sortes de fenêtre.
4. **Parvis-Notre-Dame :** place située juste devant la cathédrale.

Eh bien ! il me semble que je suis encore dans la tour du bourdon. C'est tout ensemble un étourdissement et un éblouissement. 25 Il y a comme un bruit de cloche qui ébranle les cavités de mon cerveau ; et autour de moi je n'aperçois plus cette vie plane et tranquille que j'ai quittée, et où les autres hommes cheminent encore, que de loin et à travers les crevasses d'un abîme.

XXXVII

L'hôtel de ville est un édifice sinistre.

Avec son toit aigu et roide, son clocheton bizarre, son grand cadran blanc, ses étages à petites colonnes, ses mille croisées, ses escaliers usés par les pas, ses deux arches à droite et à gauche, il 5 est là, de plain-pied avec la Grève ; sombre, lugubre, la face toute rongée de vieillesse, et si noir qu'il est noir au soleil.

Les jours d'exécution, il vomit des gendarmes de toutes ses portes, et regarde le condamné avec toutes ses fenêtres.

Et le soir, son cadran, qui a marqué l'heure, reste lumineux sur 10 sa façade ténébreuse.

XXXVIII

Il est une heure et quart.

Voici ce que j'éprouve maintenant :

Une violente douleur de tête. Les reins froids, le front brûlant. Chaque fois que je me lève ou que je me penche, il me semble 5 qu'il y a un liquide qui flotte dans mon cerveau, et qui fait battre ma cervelle contre les parois du crâne.

J'ai des tressaillements convulsifs, et de temps en temps la plume tombe de mes mains comme par une secousse galvanique[1].

---

1. **Galvanique :** électrique.

Les yeux me cuisent[1] comme si j'étais dans la fumée.
10 J'ai mal dans les coudes.
Encore deux heures et quarante-cinq minutes, et je serai guéri.

XXXIX

Ils disent que ce n'est rien, qu'on ne souffre pas, que c'est une fin douce, que la mort de cette façon est bien simplifiée.

Eh ! qu'est-ce donc que cette agonie de six semaines et ce râle de tout un jour ? Qu'est-ce que les angoisses de cette journée irré-5 parable, qui s'écoule si lentement et si vite ? Qu'est-ce que cette échelle de tortures qui aboutit à l'échafaud ?

Apparemment ce n'est pas là souffrir.

Ne sont-ce pas les mêmes convulsions, que le sang s'épuise goutte à goutte, ou que l'intelligence s'éteigne pensée à pensée ?

10 Et puis, on ne souffre pas, en sont-ils sûrs ? Qui le leur a dit ? Conte-t-on que jamais une tête coupée se soit dressée sanglante au bord du panier et qu'elle ait crié au peuple : Cela ne fait pas de mal !

Y a-t-il des morts de leur façon qui soient venus les remercier et leur dire : C'est bien inventé. Tenez-vous-en là. La mécanique est 15 bonne.

Est-ce Robespierre ? Est-ce Louis XVI[2] ?...

Non, rien ! moins qu'une minute, moins qu'une seconde, et la chose est faite. – Se sont-ils jamais mis, seulement en pensée, à la place de celui qui est là, au moment où le lourd tranchant qui 20 tombe mord la chair, rompt les nerfs, brise les vertèbres... Mais quoi ! une demi-seconde ! la douleur est escamotée[3]... Horreur !

---

1. **Me cuisent :** me font mal.
2. **Est-ce Robespierre ? Est-ce Louis XVI ? :** les deux hommes sont morts sur l'échafaud.
3. **Est escamotée :** a disparu comme par magie.

XL

Il est singulier que je pense sans cesse au roi. J'ai beau faire, beau secouer la tête, j'ai une voix dans l'oreille qui me dit toujours :

– Il y a dans cette même ville, à cette même heure, et pas bien loin d'ici, dans un autre palais, un homme qui a aussi des gardes à
5 toutes ses portes, un homme unique comme toi dans le peuple, avec cette différence qu'il est aussi haut que tu es bas. Sa vie entière, minute par minute, n'est que gloire, grandeur, délices, enivrement. Tout est autour de lui amour, respect, vénération. Les voix les plus hautes deviennent basses en lui parlant et les fronts les plus fiers
10 ploient. Il n'a que de la soie et de l'or sous les yeux. À cette heure, il tient quelque conseil de ministres où tous sont de son avis ; ou bien songe à la chasse de demain, au bal de ce soir ; sûr que la fête viendra à l'heure, et laissant à d'autres le travail de ses plaisirs. Eh bien ! cet homme est de chair et d'os comme toi ! – Et pour qu'à
15 l'instant même l'horrible échafaud s'écroulât, pour que tout te fût rendu, vie, liberté, fortune, famille, il suffirait qu'il écrivît avec cette plume les sept lettres de son nom[1] au bas d'un morceau de papier, ou même que son carrosse rencontrât ta charrette[2] ! – Et il est bon, et il ne demanderait pas mieux peut-être, et il n'en sera rien !

XLI

Eh bien donc ! ayons courage avec la mort, prenons cette horrible idée à deux mains, et considérons-la en face. Demandons-lui compte de ce qu'elle est, sachons ce qu'elle nous veut, retournons-

---

1. **Les sept lettres de son nom :** le nom du roi Charles X a sept lettres. Seul le roi peut signer une grâce.
2. **Que son carrosse rencontrât ta charrette ! :** une très ancienne superstition veut que rencontrer le roi sur le chemin ou sur le lieu d'un supplice gracierait le condamné.

la en tous sens, épelons l'énigme, et regardons d'avance dans le tombeau.

Il me semble que, dès que mes yeux seront fermés, je verrai une grande clarté et des abîmes de lumière, où mon esprit roulera sans fin. Il me semble que le ciel sera lumineux de sa propre essence, que les astres y feront des taches obscures, et qu'au lieu d'être comme pour les yeux vivants des paillettes d'or sur du velours noir, ils sembleront des points noirs sur du drap d'or.

Ou bien, misérable que je suis, ce sera peut-être un gouffre hideux, profond, dont les parois seront tapissées de ténèbres, et où je tomberai sans cesse en voyant des formes remuer dans l'ombre.

Ou bien, en m'éveillant après le coup, je me trouverai peut-être sur quelque surface plane et humide, rampant dans l'obscurité et tournant sur moi-même comme une tête qui roule. Il me semble qu'il y aura un grand vent qui me poussera, et que je serai heurté çà et là par d'autres têtes roulantes. Il y aura par places des mares et des ruisseaux d'un liquide inconnu et tiède ; tout sera noir. Quand mes yeux, dans leur rotation, seront tournés en haut, ils ne verront qu'un ciel d'ombre, dont les couches épaisses pèseront sur eux, et au loin dans le fond de grandes arches de fumée plus noires que les ténèbres. Ils verront aussi voltiger dans la nuit de petites étincelles rouges, qui, en s'approchant, deviendront des oiseaux de feu. Et ce sera ainsi toute l'éternité !

Il se peut bien aussi qu'à certaines dates les morts de la Grève se rassemblent par de noires nuits d'hiver sur la place qui est à eux. Ce sera une foule pâle et sanglante, et je n'y manquerai pas. Il n'y aura pas de lune, et l'on parlera à voix basse. L'hôtel de ville sera là, avec sa façade vermoulue[1], son toit déchiqueté, et son cadran qui aura été sans pitié pour tous. Il y aura sur la place une guillotine de l'enfer, où un démon exécutera un bourreau ; ce sera à quatre heures du matin. À notre tour nous ferons foule autour.

Il est probable que cela est ainsi. Mais si ces morts-là reviennent, sous quelle forme reviennent-ils ? Que gardent-ils de leur corps incomplet et mutilé ? Que choisissent-ils ? Est-ce la tête ou le tronc qui est spectre ?

---

1. **Vermoulue** : abîmée par l'usure.

40 Hélas ! qu'est-ce que la mort fait avec notre âme ? quelle nature lui laisse-t-elle ? qu'a-t-elle à lui prendre ou à lui donner ? où la met-elle ? lui prête-t-elle quelquefois des yeux de chair pour regarder sur la terre, et pleurer ?

Ah ! un prêtre ! un prêtre qui sache cela ! Je veux un prêtre, et un crucifix à baiser !

45 Mon Dieu, toujours le même !

XLII

Je l'ai prié de me laisser dormir, et je me suis jeté sur le lit.

En effet, j'avais un flot de sang dans la tête, qui m'a fait dormir. C'est mon dernier sommeil, de cette espèce.

J'ai fait un rêve.

5 J'ai rêvé que c'était la nuit. Il me semblait que j'étais dans mon cabinet[1] avec deux ou trois de mes amis, je ne sais plus lesquels.

Ma femme était couchée dans la chambre à coucher à côté, et dormait avec son enfant.

Nous parlions à voix basse, mes amis et moi, et ce que nous 10 disions nous effrayait.

Tout à coup il me sembla entendre un bruit quelque part dans les autres pièces de l'appartement. Un bruit faible, étrange, indéterminé.

Mes amis avaient entendu comme moi. Nous écoutâmes : c'était comme une serrure qu'on ouvre sourdement, comme un verrou 15 qu'on scie à petit bruit.

Il y avait quelque chose qui nous glaçait : nous avions peur. Nous pensâmes que peut-être c'étaient des voleurs qui s'étaient introduits chez moi, à cette heure si avancée de la nuit.

Nous résolûmes d'aller voir. Je me levai, je pris la bougie. Mes 20 amis me suivaient, un à un.

Nous traversâmes la chambre à coucher, à côté. Ma femme dormait avec son enfant.

---

1. **Cabinet :** pièce pour travailler.

Puis nous arrivâmes dans le salon. Rien. Les portraits étaient immobiles dans leurs cadres d'or sur la tenture rouge. Il me sembla
25 que la porte du salon à la salle à manger n'était point à sa place ordinaire.

Nous entrâmes dans la salle à manger ; nous en fîmes le tour. Je marchais le premier. La porte sur l'escalier était bien fermée, les fenêtres aussi. Arrivé près du poêle, je vis que l'armoire au linge
30 était ouverte, et que la porte de cette armoire était tirée sur l'angle du mur comme pour le cacher.

Cela me surprit. Nous pensâmes qu'il y avait quelqu'un derrière la porte.

Je portai la main à cette porte pour refermer l'armoire ; elle
35 résista. Étonné, je tirai plus fort, elle céda brusquement, et nous découvrîmes une petite vieille, les mains pendantes, les yeux fermés, immobile, debout, et comme collée dans l'angle du mur.

Cela avait quelque chose de hideux, et mes cheveux se dressent d'y penser.

40 Je demandai à la vieille :

– Que faites-vous là ?

Elle ne répondit pas.

Je lui demandai :

– Qui êtes-vous ?

45 Elle ne répondit pas, ne bougea pas, et resta les yeux fermés.

Mes amis dirent :

– C'est sans doute la complice de ceux qui sont entrés avec de mauvaises pensées ; ils se sont échappés en nous entendant venir ; elle n'aura pu fuir et s'est cachée là.

50 Je l'ai interrogée de nouveau, elle est demeurée sans voix, sans mouvement, sans regard.

Un de nous l'a poussée à terre, elle est tombée.

Elle est tombée tout d'une pièce, comme un morceau de bois, comme une chose morte.

55 Nous l'avons remuée du pied, puis deux de nous l'ont relevée et de nouveau appuyée au mur. Elle n'a donné aucun signe de vie. On lui a crié dans l'oreille, elle est restée muette comme si elle était sourde.

Cependant, nous perdions patience, et il y avait de la colère dans
60 notre terreur. Un de nous m'a dit :

– Mettez-lui la bougie sous le menton.

Je lui ai mis la mèche enflammée sous le menton. Alors elle a ouvert un œil à demi, un œil vide, terne, affreux, et qui ne regardait pas.

65 J'ai ôté la flamme et j'ai dit :

– Ah ! enfin ! répondras-tu, vieille sorcière ? Qui es-tu ? L'œil s'est refermé comme de lui-même.

– Pour le coup, c'est trop fort, ont dit les autres. Encore la bougie ! encore ! il faudra bien qu'elle parle.

70 J'ai replacé la lumière sous le menton de la vieille.

Alors, elle a ouvert ses deux yeux lentement, nous a regardés tous les uns après les autres, puis, se baissant brusquement, a soufflé la bougie avec un souffle glacé. Au même moment j'ai senti trois dents aiguës s'imprimer sur ma main, dans les ténèbres.

75 Je me suis réveillé, frissonnant et baigné d'une sueur froide.

Le bon aumônier[1] était assis au pied de mon lit, et lisait des prières.

– Ai-je dormi longtemps ? lui ai-je demandé.

– Mon fils, m'a-t-il dit, vous avez dormi une heure. On vous 80 a amené votre enfant. Elle est là dans la pièce voisine, qui vous attend. Je n'ai pas voulu qu'on vous éveillât.

– Oh ! ai-je crié, ma fille, qu'on m'amène ma fille !

XLIII

Elle est fraîche, elle est rose, elle a de grands yeux, elle est belle !

On lui a mis une petite robe qui lui va bien.

Je l'ai prise, je l'ai enlevée dans mes bras, je l'ai assise sur mes genoux, je l'ai baisée sur ses cheveux.

5 Pourquoi pas avec sa mère ? – Sa mère est malade, sa grand'mère aussi. C'est bien.

1. **Aumônier :** prêtre attaché à un établissement particulier, ici à la prison.

Elle me regardait d'un air étonné ; caressée, embrassée, dévorée de baisers et se laissant faire ; mais jetant de temps en temps un coup d'œil inquiet sur sa bonne, qui pleurait dans le coin.

10 Enfin j'ai pu parler.

– Marie ! ai-je dit, ma petite Marie !

Je la serrais violemment contre ma poitrine enflée de sanglots. Elle a poussé un petit cri.

– Oh ! vous me faites du mal, monsieur, m'a-t-elle dit.

15 *Monsieur* ! il y a bientôt un an qu'elle ne m'a vu, la pauvre enfant. Elle m'a oublié, visage, parole, accent ; et puis, qui me reconnaîtrait avec cette barbe, ces habits et cette pâleur ? Quoi ! déjà effacé de cette mémoire, la seule où j'eusse voulu vivre ! Quoi ! déjà plus père ! être condamné à ne plus entendre ce mot, ce mot de la langue 20 des enfants, si doux qu'il ne peut rester dans celle des hommes : *papa !*

Et pourtant l'entendre de cette bouche, encore une fois, une seule fois, voilà tout ce que j'eusse demandé pour les quarante ans de vie qu'on me prend.

25 – Écoute, Marie, lui ai-je dit en joignant ses deux petites mains dans les miennes, est-ce que tu ne me connais point ?

Elle m'a regardé avec ses beaux yeux, et a répondu :

– Ah bien non !

– Regarde bien, ai-je répété. Comment, tu ne sais pas qui je 30 suis ?

– Si, a-t-elle dit. Un monsieur.

Hélas ! n'aimer ardemment qu'un seul être au monde, l'aimer avec tout son amour, et l'avoir devant soi, qui vous voit et vous regarde, vous parle et vous répond, et ne vous connaît pas ! Ne 35 vouloir de consolation que de lui, et qu'il soit le seul qui ne sache pas qu'il vous en faut parce que vous allez mourir !

– Marie, ai-je repris, as-tu un papa ?

– Oui, monsieur, a dit l'enfant.

– Eh bien, où est-il ?

40 Elle a levé ses grands yeux étonnés.

– Ah ! vous ne savez donc pas ? il est mort.

Puis elle a crié ; j'avais failli la laisser tomber.

– Mort ! disais-je. Marie, sais-tu ce que c'est qu'être mort ?

– Oui, monsieur, a-t-elle répondu. Il est dans la terre et dans le ciel.

45 Elle a continué d'elle-même :

– Je prie le bon Dieu pour lui matin et soir sur les genoux de maman.

Je l'ai baisée au front.

– Marie, dis-moi ta prière.

– Je ne peux pas, monsieur. Une prière, cela ne se dit pas dans le
50 jour. Venez ce soir dans ma maison ; je la dirai.

C'était assez de cela. Je l'ai interrompue.

– Marie, c'est moi qui suis ton papa.

– Ah ! m'a-t-elle dit.

J'ai ajouté : – Veux-tu que je sois ton papa ?

55 L'enfant s'est détournée.

– Non, mon papa était bien plus beau.

Je l'ai couverte de baisers et de larmes. Elle a cherché à se dégager de mes bras en criant :

– Vous me faites mal avec votre barbe.

60 Alors, je l'ai replacée sur mes genoux, en la couvant des yeux, et puis je l'ai questionnée.

– Marie, sais-tu lire ?

– Oui, a-t-elle répondu. Je sais bien lire. Maman me fait lire mes lettres.

65 – Voyons, lis un peu, lui ai-je dit en lui montrant un papier qu'elle tenait chiffonné dans une de ses petites mains.

Elle a hoché sa jolie tête.

– Ah bien ! je ne sais lire que des fables.

– Essaie toujours. Voyons, lis.

70 Elle a déployé le papier, et s'est mise à épeler avec son doigt :

– A, R, *ar* R, E, T, *rêt*, ARRET...

Je lui ai arraché cela des mains. C'est ma sentence de mort qu'elle me lisait. Sa bonne avait eu le papier pour un sou. Il me coûtait plus cher, à moi.

75 Il n'y a pas de paroles pour ce que j'éprouvais. Ma violence l'avait effrayée ; elle pleurait presque. Tout à coup elle m'a dit :

– Rendez-moi donc mon papier, tiens ! c'est pour jouer.

Je l'ai remise à sa bonne.

– Emportez-la.

80 Et je suis retombé sur ma chaise, sombre, désert, désespéré. À présent ils devraient venir ; je ne tiens plus à rien ; la dernière fibre de mon cœur est brisée. Je suis bon pour ce qu'ils vont faire.

Clefs d'analyse

Le Dernier Jour d'un condamné, chap. XLIII

Action et personnages

1. Faites le portrait, physique et psychologique de la fille du prisonnier, Marie. Selon vous, est-ce une petite fille comme une autre ?
2. À quoi ressemble le prisonnier ? Quelles informations nouvelles peut-on trouver sur le narrateur dans ce chapitre ?
3. Quels sont l'attitude et le rôle de la bonne dans ce passage ? De quels personnages peut-on la rapprocher ?
4. Pourquoi la fille du prisonnier ne reconnaît-elle pas son père ? Que ressent-il face à cette méconnaissance ?
5. Comment se termine la scène ? La petite fille a-t-elle compris ce qui allait arriver à son père ? Pourquoi celui-ci la repousse-t-il sans tendresse ?
6. Pourquoi la petite fille refuse-t-elle de lire une prière ? Que pensez-vous de ses explications ?

Langue

7. « Je l'ai prise, je l'ai enlevée dans mes bras, je l'ai assise sur mes genoux, je l'ai baisée sur ses cheveux » (lignes 3-4) : que remarquez-vous dans la construction de cette phrase ?
8. « Cette mémoire, la seule où j'eusse voulu vivre » (ligne 18) : de quelle « mémoire » parle le narrateur ?
9. Relevez les différentes expressions et tournures par lesquelles la fille du prisonnier marque qu'elle ne reconnaît pas son père.
10. « sombre, désert, désespéré » (ligne 80) : expliquez les points communs et les différences entre ces adjectifs.
11. « Il me coûtait plus cher, à moi » (lignes 73-74). Cette expression est ironique. Expliquez pourquoi.

Genre ou thèmes

12. À quels autres endroits du roman le narrateur se souvient-il de sa fille ? Ce souvenir est-il heureux ?

13. Comparez la tonalité du début et de la fin du chapitre : comment le récit a-t-il évolué ?
14. Comment Hugo arrive-t-il à mettre en scène les sentiments du prisonnier ?

Écriture

15. Vous rédigerez la dernière lettre que le prisonnier laisse à sa fille avant de partir pour l'échafaud.

Pour aller plus loin

16. Le déroulement de la rencontre entre le prisonnier et sa fille est-il prévisible ? À quel moment surprend-il le lecteur ?
17. Pourquoi la petite fille lit-elle un passage de la sentence de mort du prisonnier ? Est-ce seulement un hasard ? Quel est l'effet produit sur le lecteur ?
18. Marie est l'un des seuls personnages féminins du roman. Essayez d'expliquer pourquoi.
19. Cette scène est-elle vraiment une scène d'adieu ? Pourquoi ?

✻ *À retenir*

La rencontre du prisonnier et de sa fille avant de partir pour la guillotine est l'un des moments les plus émouvants du récit, mais aussi l'un des plus troublants : la petite fille n'apporte pas de réconfort au narrateur ; au contraire, elle l'accable de nouvelles souffrances.

XLIV

Le prêtre est bon, le gendarme aussi. Je crois qu'ils ont versé une larme quand j'ai dit qu'on m'emportât mon enfant.

C'est fait. Maintenant il faut que je me roidisse[1] en moi-même, et que je pense fermement au bourreau, à la charrette, aux gendarmes, à la foule sur le pont, à la foule sur le quai, à la foule aux fenêtres, et à ce qu'il y aura exprès pour moi sur cette lugubre place de Grève, qui pourrait être pavée des têtes qu'elle a vu tomber.

Je crois que j'ai encore une heure pour m'habituer à tout cela.

XLV

Tout ce peuple rira, battra des mains, applaudira. Et parmi tous ces hommes, libres et inconnus des geôliers, qui courent pleins de joie à une exécution, dans cette foule de têtes qui couvrira la place, il y aura plus d'une tête prédestinée[2] qui suivra la mienne tôt ou tard dans le panier rouge. Plus d'un qui y vient pour moi y viendra pour soi.

Pour ces êtres fatals il y a sur un certain point de la place de Grève un lieu fatal, un centre d'attraction, un piège. Ils tournent autour jusqu'à ce qu'ils y soient.

---

1. **Roidisse :** raidisse.
2. **Une tête prédestinée :** dans le vocabulaire théologique, destinée à dieu ; ici, l'expression est ironique.

XLVI

Ma petite Marie ! – On l'a remmenée jouer ; elle regarde la foule par la portière du fiacre, et ne pense déjà plus à ce *monsieur*.

Peut-être aurais-je encore le temps d'écrire quelques pages pour elle, afin qu'elle les lise un jour, et qu'elle pleure dans quinze ans
5 pour aujourd'hui.

Oui, il faut qu'elle sache par moi mon histoire, et pourquoi le nom que je lui laisse est sanglant.

XLVII

MON HISTOIRE[1]

Note de l'éditeur – On n'a pu encore retrouver les feuillets qui se rattachaient à celui-ci. Peut-être, comme ceux qui suivent semblent l'indiquer, le condamné n'a-t-il pas eu le temps de les écrire. Il était tard quand cette pensée lui est venue.

XLVIII

D'une chambre de l'hôtel de ville.

De l'hôtel de ville !... – Ainsi j'y suis. Le trajet exécrable est fait. La place est là, et au-dessous de la fenêtre l'horrible peuple qui aboie, et m'attend, et rit.

5 J'ai eu beau me roidir, beau me crisper, le cœur m'a failli.

---

1. **MON HISTOIRE** : c'est le seul chapitre du roman à être titré. Hugo a laissé ce chapitre délibérément inachevé.

Quand j'ai vu au-dessus des têtes ces deux bras rouges, avec leur triangle noir au bout, dressés entre les deux lanternes du quai, le cœur m'a failli. J'ai demandé à faire une dernière déclaration. On m'a déposé ici, et l'on est allé chercher quelque procureur du roi. 10 Je l'attends, c'est toujours cela de gagné.

Voici :

Trois heures sonnaient, on est venu m'avertir qu'il était temps. J'ai tremblé, comme si j'eusse pensé à autre chose depuis six heures, depuis six semaines, depuis six mois. Cela m'a fait l'effet de quelque 15 chose d'inattendu.

Ils m'ont fait traverser leurs corridors et descendre leurs escaliers. Ils m'ont poussé entre deux guichets du rez-de-chaussée, salle sombre, étroite, voûtée, à peine éclairée d'un jour de pluie et de brouillard. Une chaise était au milieu. Ils m'ont dit de m'asseoir ; 20 je me suis assis.

Il y avait près de la porte et le long des murs quelques personnes debout, outre le prêtre et les gendarmes, et il y avait aussi trois hommes.

Le premier, le plus grand, le plus vieux, était gras et avait la 25 face rouge. Il portait une redingote et un chapeau à trois cornes déformé. C'était lui.

C'était le bourreau, le valet de la guillotine. Les deux autres étaient ses valets, à lui.

À peine assis, les deux autres se sont approchés de moi, par-30 derrière, comme des chats, puis tout à coup j'ai senti un froid d'acier dans mes cheveux, et les ciseaux ont grincé à mes oreilles.

Mes cheveux, coupés au hasard, tombaient par mèches sur mes épaules, et l'homme au chapeau à trois cornes les époussetait doucement avec sa grosse main.

35 Autour, on parlait à voix basse.

Il y avait un grand bruit au-dehors, comme un frémissement qui ondulait dans l'air. J'ai cru d'abord que c'était la rivière ; mais, à des rires qui éclataient, j'ai reconnu que c'était la foule.

Un jeune homme, près de la fenêtre, qui écrivait, avec un crayon, 40 sur un portefeuille, a demandé à un des guichetiers comment s'appelait ce qu'on faisait là.

– La toilette du condamné, a répondu l'autre.

J'ai compris que cela serait demain dans le journal.

Tout à coup l'un des valets m'a enlevé ma veste, et l'autre a pris
45 mes deux mains qui pendaient, les a ramenées derrière mon dos, et j'ai senti les nœuds d'une corde se rouler lentement autour de mes poignets rapprochés. En même temps, l'autre détachait ma cravate. Ma chemise de batiste[1], seul lambeau qui me restât du moi d'autrefois, l'a fait en quelque sorte hésiter un moment ; puis il s'est mis à
50 en couper le col.

À cette précaution horrible, au saisissement de l'acier qui touchait mon cou, mes coudes ont tressailli, et j'ai laissé échapper un rugissement étouffé. La main de l'exécuteur a tremblé.

– Monsieur, m'a-t-il dit, pardon ! Est-ce que je vous ai fait mal ?
55 Ces bourreaux sont des hommes très doux.

La foule hurlait plus haut au-dehors.

Le gros homme au visage bourgeonné[2] m'a offert à respirer un mouchoir imbibé de vinaigre[3].

– Merci, lui ai-je dit de la voix la plus forte que j'ai pu, c'est inu-
60 tile ; je me trouve bien.

Alors l'un d'eux s'est baissé et m'a lié les deux pieds, au moyen d'une corde fine et lâche, qui ne me laissait à faire que de petits pas. Cette corde est venue se rattacher à celle de mes mains.

Puis le gros homme a jeté la veste sur mon dos, et a noué les
65 manches ensemble sous mon menton. Ce qu'il y avait à faire là était fait.

Alors le prêtre s'est approché avec son crucifix.

– Allons, mon fils, m'a-t-il dit.

Les valets m'ont pris sous les aisselles. Je me suis levé, j'ai mar-
70 ché. Mes pas étaient mous et fléchissaient comme si j'avais eu deux genoux à chaque jambe.

En ce moment la porte extérieure s'est ouverte à deux battants. Une clameur furieuse et l'air froid et la lumière blanche ont fait irruption jusqu'à moi dans l'ombre. Du fond du sombre guichet,
75 j'ai vu brusquement tout à la fois, à travers la pluie, les mille têtes hurlantes du peuple entassées pêle-mêle sur la rampe du grand

---

1. **Chemise de batiste :** chemise de toile fine.
2. **Bourgeonné :** couvert de boutons.
3. **Un mouchoir imbibé de vinaigre :** le vinaigre était utilisé pour ranimer des personnes victimes d'un malaise.

escalier du Palais : à droite, de plain-pied avec le seuil, un rang de chevaux de gendarmes, dont la porte basse ne me découvrait que les pieds de devant et les poitrails ; en face, un détachement de soldats en bataille ; à gauche, l'arrière d'une charrette, auquel s'appuyait une roide échelle. Tableau hideux, bien encadré dans une porte de prison.

C'est pour ce moment redouté que j'avais gardé mon courage. J'ai fait trois pas, et j'ai paru sur le seuil du guichet.

– Le voilà ! le voilà ! a crié la foule. Il sort ! enfin !

Et les plus près de moi battaient des mains. Si fort qu'on aime un roi, ce serait moins de fête.

C'était une charrette ordinaire, avec un cheval étique[1], et un charretier en sarrau[2] bleu à dessins rouges, comme ceux des maraîchers[3] des environs de Bicêtre.

Le gros homme en chapeau à trois cornes est monté le premier.

– Bonjour, monsieur Samson ! criaient des enfants pendus à des grilles.

Un valet l'a suivi.

– Bravo, Mardi[4] ! ont crié de nouveau les enfants.

Ils se sont assis tous deux sur la banquette de devant.

C'était mon tour. J'ai monté d'une allure assez ferme.

– Il va bien ! a dit une femme à côté des gendarmes.

Cet atroce éloge[5] m'a donné du courage. Le prêtre est venu se placer auprès de moi. On m'avait assis sur la banquette de derrière, le dos tourné au cheval. J'ai frémi de cette dernière attention.

Ils mettent de l'humanité là-dedans.

J'ai voulu regarder autour de moi. Gendarmes devant, gendarmes derrière ; puis de la foule, de la foule, et de la foule ; une mer de têtes sur la place.

---

1. **Étique :** très maigre.
2. **Sarrau :** tablier de travail.
3. **Maraîchers :** cultivateurs de fruits et légumes.
4. **Mardi :** c'est le nom du valet.
5. **Atroce éloge :** ce terrible compliment (l'expression est un oxymore, c'est-à-dire contradictoire).

Un piquet[1] de gendarmerie à cheval m'attendait à la porte de la grille du Palais.

L'officier a donné l'ordre. La charrette et son cortège se sont mis en mouvement, comme poussés en avant par un hurlement de la
110 populace[2].

On a franchi la grille. Au moment où la charrette a tourné vers le Pont-au-Change[3], la place a éclaté en bruit, du pavé aux toits, et les ponts et les quais ont répondu à faire un tremblement de terre.

C'est là que le piquet qui attendait s'est rallié à l'escorte.

115 – Chapeaux bas ! chapeaux bas ! criaient mille bouches ensemble. Comme pour le roi.

Alors j'ai ri horriblement aussi, moi, et j'ai dit au prêtre :

– Eux les chapeaux, moi la tête.

On allait au pas.

120 Le quai aux Fleurs embaumait ; c'est jour de marché. Les marchandes ont quitté leurs bouquets pour moi.

Vis-à-vis, un peu avant la tour carrée qui fait le coin du Palais, il y a des cabarets, dont les entresols[4] étaient pleins de spectateurs heureux de leurs belles places. Surtout des femmes. La journée
125 doit être bonne pour les cabaretiers.

On louait des tables, des chaises, des échafaudages, des charrettes. Tout pliait de spectateurs. Des marchands de sang humain criaient à tue-tête :

– Qui veut des places ?

130 Une rage m'a pris contre ce peuple. J'ai eu envie de leur crier :

– Qui veut la mienne ?

Cependant la charrette avançait. À chaque pas qu'elle faisait, la foule se démolissait derrière elle, et je la voyais de mes yeux égarés qui s'allait reformer plus loin sur d'autres points de mon passage.

135 En entrant sur le Pont-au-Change, j'ai par hasard jeté les yeux à ma droite en arrière. Mon regard s'est arrêté sur l'autre quai, au-dessus des maisons, à une tour noire, isolée, hérissée de sculptures, au sommet de laquelle je voyais deux monstres de pierre assis de

---

1. **Piquet :** un petit groupe.
2. **Populace :** le peuple, en termes péjoratifs.
3. **Pont-au-Change :** pont qui relie la Seine à l'île de la Cité.
4. **Entresols :** étages intermédiaires entre le rez-de-chaussée et le premier étage.

profil. Je ne sais pourquoi j'ai demandé au prêtre ce que c'était que
140 cette tour.

– Saint-Jacques-la-Boucherie[1], a répondu le bourreau. J'ignore comment cela se faisait ; dans la brume, et malgré la pluie fine et blanche qui rayait l'air comme un réseau de fils d'araignée, rien de ce qui se passait autour de moi ne m'a échappé. Chacun de ces
145 détails m'apportait sa torture. Les mots manquent aux émotions.

Vers le milieu de ce Pont-au-Change, si large et si encombré que nous cheminions à grand-peine, l'horreur m'a pris violemment. J'ai craint de défaillir[2], dernière vanité ! Alors je me suis étourdi moi-même pour être aveugle et pour être sourd à tout, excepté au prêtre,
150 dont j'entendais à peine les paroles, entrecoupées de rumeurs.

J'ai pris le crucifix et je l'ai baisé.

– Ayez pitié de moi, ai-je dit, ô mon Dieu ! – Et j'ai tâché de m'abîmer dans cette pensée.

Mais chaque cahot de la dure charrette me secouait. Puis tout
155 à coup je me suis senti un grand froid. La pluie avait traversé mes vêtements, et mouillait la peau de ma tête à travers mes cheveux coupés et courts.

– Vous tremblez de froid, mon fils ? m'a demandé le prêtre.

– Oui, ai-je répondu.

160 Hélas ! pas seulement de froid[3].

Au détour du pont, des femmes m'ont plaint d'être si jeune.

Nous avons pris le fatal quai. Je commençais à ne plus voir, à ne plus entendre. Toutes ces voix, toutes ces têtes aux fenêtres, aux portes, aux grilles des boutiques, aux branches des lanternes ; ces
165 spectateurs avides et cruels ; cette foule où tous me connaissent et où je ne connais personne ; cette route pavée et murée de visages humains... J'étais ivre, stupide, insensé[4]. C'est une chose insupportable que le poids de tant de regards appuyés sur vous.

---

1. **Saint-Jacques-la-Boucherie :** église proche de la place du Châtelet.
2. **Défaillir :** s'évanouir.
3. **Pas seulement de froid :** allusion à un mot fameux de Malesherbes, l'avocat de Louis XVI, déclarant au bourreau qui allait exécuter le roi que si celui-ci tremblait, c'était seulement à cause du froid.
4. **Insensé :** privé de ses sens par le choc.

Je vacillais donc sur le banc, ne prêtant même plus d'attention au
170 prêtre et au crucifix.

Dans le tumulte qui m'enveloppait, je ne distinguais plus les cris de pitié des cris de joie, les rires des plaintes, les voix du bruit ; tout cela était une rumeur qui résonnait dans ma tête comme dans un écho de cuivre.

175 Mes yeux lisaient machinalement les enseignes des boutiques.

Une fois, l'étrange curiosité me prit de tourner la tête et de regarder vers quoi j'avançais. C'était une dernière bravade de l'intelligence. Mais le corps ne voulut pas ; ma nuque resta paralysée et d'avance comme morte.

180 J'entrevis seulement de côté, à ma gauche, au-delà de la rivière, la tour de Notre-Dame qui, vue de là, cache l'autre. C'est celle où est le drapeau. Il y avait beaucoup de monde, et qui devait bien voir.

Et la charrette allait, allait, et les boutiques passaient, et les enseignes
185 se succédaient, écrites, peintes, dorées, et la populace riait et trépignait dans la boue, et je me laissais aller, comme à leurs rêves ceux qui sont endormis.

Tout à coup la série des boutiques qui occupait mes yeux s'est coupée à l'angle d'une place ; la voix de la foule est devenue plus
190 vaste, plus glapissante, plus joyeuse encore ; la charrette s'est arrêtée subitement, et j'ai failli tomber la face sur les planches. Le prêtre m'a soutenu. – Courage ! a-t-il murmuré. – Alors on a apporté une échelle à l'arrière de la charrette ; il m'a donné le bras, je suis descendu, puis j'ai fait un pas, puis je me suis retourné pour en faire
195 un autre, et je n'ai pu. Entre les deux lanternes du quai, j'avais vu une chose sinistre.

Oh ! c'était la réalité !

Je me suis arrêté, comme chancelant déjà du coup.

– J'ai une dernière déclaration à faire ! ai-je crié faiblement.

200 On m'a monté ici.

J'ai demandé qu'on me laissât écrire mes dernières volontés[1]. Ils m'ont délié les mains, mais la corde est ici, toute prête, et le reste est en bas.

---

1. **Dernières volontés :** testament ou dernières paroles auxquelles a droit traditionnellement un condamné à mort.

XLIX

Un juge, un commissaire, un magistrat, je ne sais de quelle espèce, vient de venir. Je lui ai demandé ma grâce en joignant les deux mains et en me traînant sur les deux genoux. Il m'a répondu, en souriant fatalement, si c'est là tout ce que j'avais à lui dire.

5 – Ma grâce ! ma grâce ! ai-je répété, ou, par pitié, cinq minutes encore !

Qui sait ? elle viendra peut-être ! Cela est si horrible, à mon âge, de mourir ainsi ! Des grâces qui arrivent au dernier moment, on l'a vu souvent. Et à qui fera-t-on grâce, monsieur, si ce n'est à moi ?

10 Cet exécrable bourreau ! il s'est approché du juge pour lui dire que l'exécution devait être faite à une certaine heure, que cette heure approchait, qu'il était responsable, que d'ailleurs il pleut, et que cela risque de se rouiller.

– Eh, par pitié ! une minute pour attendre ma grâce[1] ! ou je me 15 défends ! je mords !

Le juge et le bourreau sont sortis. Je suis seul. – Seul avec deux gendarmes.

Oh ! l'horrible peuple avec ses cris d'hyène ! – Qui sait si je ne lui échapperai pas ? si je ne serai pas sauvé ? si ma grâce ?... Il est 20 impossible qu'on ne me fasse pas grâce !

Ah ! les misérables ! il me semble qu'on monte l'escalier..

QUATRE HEURES.

---

1. **Une minute pour attendre ma grâce :** allusion aux dernières paroles de la comtesse Du Barry, favorite de Louis XV, demandant sur l'échafaud « encore une minute, monsieur le bourreau ».

Clefs d'analyse

Le Dernier Jour d'un condamné,
chap. XLIX

Action et personnages

1. Où le narrateur rédige-t-il son récit ?
2. En combien de temps se déroule ce chapitre ?
3. Qui monte dans l'escalier à la fin du chapitre ?
4. Quels sont les rôles de chaque personnage dans l'exécution ?

Langue

5. Expliquez le mot « fatalement » (ligne 4). À quoi nous fait-il penser ?
6. « Elle viendra peut-être » (ligne 7) : de quoi parle le prisonnier ?
7. « Que cela risque de se rouiller » (ligne 13) : à quoi se réfère le pronom « cela » ?
8. « Je me défends, je mords » (ligne 15) : ces menaces sont-elles sérieuses ? Quels sentiments expriment-elles ?
9. « Les misérables » (ligne 21) : expliquez le sens de ce mot à la lumière de ce roman et d'autres œuvres de Hugo.
10. « Si ma grâce ?... » (ligne 19) : expliquez ce fragment de phrase.

Genre ou thèmes

11. Comment sont représentés les spectateurs de l'exécution ? Vous comparerez avec les autres peintures de la foule dans le roman.
12. Comment trouvez-vous le rythme de ce passage ? À quel genre littéraire pourrait-on le comparer ?
13. « Qui sait ? » (ligne 18). À qui parle le narrateur ? Pourquoi, selon vous, note-t-il ses dernières pensées ?
14. Quel est le ton de ce passage ? Quel sentiment suscite-t-il chez le lecteur ?

Écriture

15. Vous raconterez les derniers moments du condamné de Victor Hugo en adoptant le point de vue d'un des spectateurs de son exécution ; essayez de faire correspondre votre description avec ce que le roman vous a appris de la personnalité du prisonnier.

Pour aller plus loin

16. Pourquoi le récit s'interrompt-il ? Aurait-il été possible de le terminer ? Montrez en quoi Hugo est habile dans sa manière de terminer son récit.
17. Comment jugez-vous l'attitude des exécuteurs de la peine de mort ? Selon vous, qu'a voulu montrer Hugo ?
18. Quelle est, au moment où il s'apprête à mourir, l'attitude du condamné ? Le trouvez-vous courageux ? Que signifie à votre avis la manière dont Hugo le met en scène ?
19. Quelle peinture Hugo fait-il du peuple et de la société dans ce passage ?

* *À retenir*

Le dernier chapitre du récit relate les toutes dernières pensées du condamné. Celles-ci sont marquées non par la sérénité et le calme, mais par l'attente désespérée d'une grâce hypothétique. Victor Hugo nous montre que la peine de mort ne conduit pas au repentir et à la paix propre à un juste châtiment, mais qu'elle ne fait que produire du désordre en excitant les pires instincts de la foule.

« Le Dernier Jour d'un condamné ».
Lithographie de Louis Boulanger (1806-1867).

Note

Nous donnons ci-jointe[1], pour les personnes curieuses de cette sorte de littérature, la chanson d'argot avec l'explication en regard, d'après une copie que nous avons trouvée dans les papiers du condamné, et dont ce fac-similé[2] reproduit tout, orthographe et écriture. La signification des mots était écrite de la main du condamné ; il y a aussi dans le dernier couplet deux vers intercalés qui semblent de son écriture[3] ; le reste de la complainte[4] est d'une autre main. Il est probable que, frappé de cette chanson, mais ne se la rappelant qu'imparfaitement, il avait cherché à se la procurer, et que la copie lui en avait été donnée par quelque calligraphe[5] de la geôle.

La seule chose que ce fac-similé ne reproduise pas, c'est l'aspect du papier de la copie, qui est jaune, sordide[6] et rompu à ses plis[7].

---

1. **Ci-jointe :** page ci-contre.
2. **Fac-similé :** imitation exacte d'une écriture ou d'un dessin.
3. **Qui semblent de son écriture :** les critiques ont en général identifié l'écriture des deux vers intercalés à celle de Hugo.
4. **Complainte :** chanson populaire à thème tragique.
5. **Calligraphe :** personne douée pour écrire à la main.
6. **Sordide :** très sale.
7. **Rompu à ses plis :** dans l'édition originale du roman, le fac-similé était imprimé sur une grande feuille pliée en quatre et insérée dans une pochette collée à la couverture du livre.

Cest dans la rue du mail
ou j'ai été Colligé(1) malure
par trois Coquin de rail(2) lir lon fa maluretté
Sans mes jigue ont fonce(3) lir lon fa maluré

il mon mit la tartouve(4) lir lon fa maluretté
grand meudon est a boulé(5) lir lon fa maluré
dans mon trimin(6) rencontré lir lon fa maluretté
un pegre(7) du Chatier lir lon fa maluré

va t'en dire à ma largue(8) lir lon fa maluretté
que je suis enfourraillé(9) lir lon fa maluré
ma largue tout en Colère lir lon fa maluretté
m'dit qu'a tu donc morfillé(10) lir lon fa maluré

j'ai fait suer un Chesne(11) lir lon fa maluretté
son auberg j'ai engurité(12) lir lon fa maluré
son faubourg et sa toquante(13) lir lon fa maluretté
et les attaches de ses (14) lir lon fa maluré

ma largue part pour versaille lir lon fa maluretté
aux pieds de sa majesté lir lon fa maluré
elle lui fonce un babillard(15) lir lon fa maluretté
pour me faire défourraillé lir lon fa maluré

a si j'en defourrail lir lon fa maluretté
ma largue j'entiferé(16) lir lon fa maluré
je li ferai porter fontanges lir lon fa maluretté
et des souliers galuché(17) lir lon fa maluré
[illegible] grand duc (18) qui [illegible] lir lon fa maluré
[illegible] (19) [illegible]
je li ferai danser une danse lir lon fa maluretté
ou il ny a pas de planché lir lon fa maluré

(1) arrêté
(2) archers, [illegible], gendarmes
(3) ils se sont jettés sur moi
(4) les menottes
(5) le mouchard est arrivé
(6) Chemin
(7) voleur
(8) ma femme
(9) emprisonné
(10) qu'as tu donc fait ?
(11) j'ai tué un homme
(12) j'ai pris son argent
(13) sa montre
(14) ses boucles de souliers
(15) elle lui présente un placet
(16) je l'[illegible]
(17) à galoches
(18) le Roi
(19) [illegible]

Claude Gueux

Victor **Hugo**

Roman édité pour la première fois en 1834

L'ŒUVRE

Claude Gueux

Il y a sept ou huit ans, un homme nommé Claude Gueux, pauvre ouvrier, vivait à Paris. Il avait avec lui une fille qui était sa maîtresse, et un enfant de cette fille. Je dis les choses comme elles sont, laissant le lecteur ramasser les moralités[1] à mesure que les faits les sèment sur leur chemin. L'ouvrier était capable, habile, intelligent, fort maltraité par l'éducation, fort bien traité par la nature, ne sachant pas lire et sachant penser. Un hiver, l'ouvrage[2] manqua. Pas de feu ni de pain dans le galetas[3]. L'homme, la fille et l'enfant eurent froid et faim. L'homme vola. Je ne sais ce qu'il vola, je ne sais où il vola. Ce que je sais, c'est que de ce vol il résulta trois jours de pain et de feu[4] pour la femme et pour l'enfant, et cinq ans de prison pour l'homme.

L'homme fut envoyé faire son temps à la maison centrale de Clairvaux. Clairvaux, abbaye dont on a fait une bastille[5], cellule[6] dont on a fait un cabanon[7], autel dont on a fait un pilori[8]. Quand nous parlons de progrès, c'est ainsi que certaines gens le comprennent et l'exécutent. Voilà la chose qu'ils mettent sous notre mot.

Poursuivons.

Arrivé là, on le mit dans un cachot pour la nuit, et dans un atelier[9] pour le jour. Ce n'est pas l'atelier que je blâme.

Claude Gueux, honnête ouvrier naguère, voleur désormais, était une figure digne et grave. Il avait le front haut, déjà ridé quoique jeune encore, quelques cheveux gris perdus dans les touffes noires, l'œil doux et fort puissamment enfoncé sous une arcade sourcilière bien modelée, les narines ouvertes, le menton avancé, la lèvre dédaigneuse. C'était une belle tête. On va voir ce que la société en a fait.

---

1. **Moralités :** les leçons de morale.
2. **L'ouvrage :** le travail.
3. **Galetas :** chambre misérable.
4. **De feu :** de chauffage.
5. **Bastille :** prison.
6. **Cellule :** ici, dans le sens de cellule de moine.
7. **Cabanon :** ici, dans le sens de prison.
8. **Pilori :** instrument de torture.
9. **Atelier :** à l'époque, les condamnés étaient contraints de travailler dans des « travaux forcés ».

Clefs d'analyse

Claude Gueux, l. 1 à 27 (p. 156)

Action et personnages

1. Quelles informations principales nous sont données sur Claude Gueux ? Qu'est-ce que Hugo laisse dans le silence ?
2. Comment Hugo présente-t-il son personnage ? De quoi cherche-t-il à convaincre ces lecteurs ?
3. Comment est décrite la prison ? Quel effet cette description produit sur le lecteur ?

Langue

4. Relevez toutes les informations chronologiques données par le texte. À quoi servent-elles selon vous ?
5. « Faire son temps » (ligne 13) : expliquez cette expression.
6. « certaines gens » (ligne 16) : de qui Hugo parle-t-il ?
7. « Poursuivons » (ligne 18) : à quel temps et à quel mode est le verbe ? Pourquoi l'auteur dit-il « nous » ?
8. « Ce n'est pas l'atelier que je blâme » (ligne 20) : expliquez cette expression. Que « blâme » Hugo, selon vous ?
9. « Voilà la chose qu'ils mettent sous notre mot » (ligne 17) : de quel mot s'agit-il ?

Genre ou thèmes

10. « Honnête ouvrier naguère, voleur désormais » (ligne 21) : pourquoi ce parallèle ? Citez d'autres ouvrages de Hugo qui réfléchissent sur la vie des ouvriers et des pauvres.
11. « Claude Gueux [...] était une figure digne et grave » (lignes 21-22) : citez d'autres personnages qui ressemblent à Claude Gueux dans l'œuvre de Hugo.

Écriture

12. Vous imaginerez le récit que Claude Gueux fait lui-même de son arrestation et de son incarcération.

Pour aller plus loin

13. Quel rapport existe-t-il entre le portrait physique et le portrait moral du personnage ?
14. « On va voir ce que la société en a fait » : pourquoi, à votre avis, Hugo anticipe-t-il sur la suite de son récit ? Le lecteur peut-il deviner ce qui va se passer ? Quel est l'effet produit ?
15. Quel rôle est donné par Hugo au lecteur ? Comparez avec *Le Dernier Jour d'un condamné*.
16. Quelles sont les différences et les ressemblances entre le héros de *Claude Gueux* et celui du *Dernier Jour d'un condamné* ?

✱ À retenir

Le début d'un roman joue un rôle central dans une intrigue et propose la description des lieux et des personnages principaux. Souvent aussi, le début d'une intrigue est précédé d'un bref rappel de la situation antérieure, le romancier cherchant à nous placer très vite au cœur de l'action.
Le début de *Claude Gueux* est très « économique » : il nous donne des informations minimales mais réussit à mettre en scène la prison de manière efficace.

Il avait la parole rare, le geste peu fréquent, quelque chose d'impérieux[1] dans toute sa personne et qui se faisait obéir, l'air 30 pensif, sérieux plutôt que souffrant. Il avait pourtant bien souffert.

Dans le dépôt où Claude Gueux était enfermé, il y avait un directeur des ateliers, espèce de fonctionnaire propre aux prisons, qui tient tout ensemble[2] du guichetier et du marchand, qui fait en même temps une commande à l'ouvrier et une menace au prison- 35 nier, qui vous met l'outil aux mains et les fers aux pieds. Celui-là était lui-même une variété de l'espèce, un homme bref[3], tyrannique, obéissant à ses idées, toujours à courte bride[4] sur son autorité ; d'ailleurs, dans l'occasion, bon compagnon, bon prince, jovial même et raillant avec grâce ; dur plutôt que ferme ; ne raisonnant 40 avec personne, pas même avec lui ; bon père, bon mari sans doute, ce qui est devoir et non vertu ; en un mot, pas méchant, mauvais. C'était un de ces hommes qui n'ont rien de vibrant ni d'élastique, qui sont composés de molécules inertes, qui ne résonnent au choc d'aucune idée, au contact d'aucun sentiment, qui ont des colères 45 glacées, des haines mornes[5], des emportements sans émotion, qui prennent feu sans s'échauffer, dont la capacité de calorique[6] est nulle, et qu'on dirait souvent faits de bois ; ils flambent par un bout et sont froids par l'autre. La ligne principale, la ligne diagonale du caractère de cet homme, c'était la ténacité. Il était fier d'être 50 tenace, et se comparaît à Napoléon. Ceci n'est qu'une illusion d'optique. Il y a nombre de gens qui en sont dupes et qui, à certaine distance, prennent la ténacité pour de la volonté, et une chandelle pour une étoile. Quand cet homme donc avait une fois ajusté[7] ce qu'il appelait sa volonté à une chose absurde, il allait tête haute et 55 à travers toute broussaille[8] jusqu'au bout de la chose absurde. L'entêtement sans l'intelligence, c'est la sottise soudée au bout de

1. **Impérieux :** impressionnant.
2. **Qui tient tout ensemble (du) :** qui ressemble à la fois à.
3. **Bref :** autoritaire, sec.
4. **À courte bride :** très exigeant.
5. **Mornes :** tristes.
6. **Capacité de calorique :** capacité énergétique.
7. **Ajusté :** décidé.
8. **Broussaille :** complication.

la bêtise et lui servant de rallonge. Cela va loin. En général, quand une catastrophe privée ou publique s'est écroulée sur nous, si nous examinons, d'après les décombres qui en gisent à terre, de quelle
60 façon elle s'est échafaudée, nous trouvons presque toujours qu'elle a été aveuglément construite par un homme médiocre et obstiné qui avait foi en lui et qui s'admirait. Il y a par le monde beaucoup de ces petites fatalités têtues qui se croient des providences[1].

Voilà donc ce que c'était que le directeur des ateliers de la prison
65 centrale de Clairvaux. Voilà de quoi était fait le briquet avec lequel la société frappait chaque jour sur les prisonniers pour en tirer des étincelles.

L'étincelle que de pareils briquets arrachent à de pareils cailloux allume souvent des incendies.

70 Nous avons dit qu'une fois arrivé à Clairvaux, Claude Gueux fut numéroté dans un atelier et rivé à une besogne[2]. Le directeur de l'atelier fit connaissance avec lui, le reconnut bon ouvrier, et le traita bien. Il paraît même qu'un jour, étant de bonne. humeur, et voyant Claude Gueux fort triste, car cet homme pensait toujours à
75 celle qu'il appelait sa femme, il lui conta, par manière de jovialité et de passe-temps[3], et aussi pour le consoler, que cette malheureuse s'était faite fille publique. Claude demanda froidement ce qu'était devenu l'enfant. On ne savait.

Au bout de quelques mois, Claude s'acclimata à l'air de la prison
80 et parut ne plus songer à rien. Une certaine sérénité sévère, propre à son caractère, avait repris le dessus.

Au bout du même espace de temps à peu près, Claude avait acquis un ascendant[4] singulier sur tous ses compagnons. Comme par une sorte de convention tacite, et sans que personne sût pour-
85 quoi, pas même lui, tous ces hommes le consultaient, l'écoutaient, l'admiraient et l'imitaient, ce qui est le dernier degré ascendant[5] de l'admiration. Ce n'était pas une médiocre gloire d'être obéi par toutes

---

1. **Providences :** bonnes nouvelles pour l'humanité.
2. **Rivé à une besogne :** attaché à un travail.
3. **Par manière de jovialité et de passe-temps :** pour être sympathique et passer le temps.
4. **Ascendant :** pouvoir.
5. **Ascendant :** ici, adjectif équivalent à « élevé ».

ces natures désobéissantes. Cet empire lui était venu sans qu'il y songeât. Cela tenait au regard qu'il avait dans les yeux. L'œil de 90 l'homme est une fenêtre par laquelle on voit les pensées qui vont et viennent dans sa tête.

Mettez un homme qui contient des idées parmi des hommes qui n'en contiennent pas, au bout d'un temps donné, et par une loi d'attraction irrésistible, tous les cerveaux ténébreux graviteront 95 humblement et avec adoration autour du cerveau rayonnant. Il y a des hommes qui sont fer et des hommes qui sont aimant. Claude était aimant.

En moins de trois mois donc, Claude était devenu l'âme, la loi et l'ordre de l'atelier. Toutes ces aiguilles tournaient sur son cadran. 100 Il devait douter lui-même par moments s'il était roi ou prisonnier. C'était une sorte de pape captif avec ses cardinaux.

Et, par une réaction toute naturelle, dont l'effet s'accomplit sur toutes les échelles[1], aimé des prisonniers, il était détesté des geôliers. Cela est toujours ainsi. La popularité ne va jamais sans la défaveur. 105 L'amour des esclaves est toujours doublé de la haine des maîtres.

Claude Gueux était grand mangeur. C'était une particularité de son organisation. Il avait l'estomac fait de telle sorte que la nourriture de deux hommes ordinaires suffisait à peine à sa journée. M. de Cotadilla[2] avait un de ces appétits-là, et en riait ; mais ce 110 qui est une occasion de gaieté pour un duc, grand d'Espagne, qui a cinq cent mille moutons, est une charge pour un ouvrier et un malheur pour un prisonnier.

Claude Gueux, libre dans son grenier, travaillait tout le jour, gagnait son pain de quatre livres et le mangeait. Claude Gueux, 115 en prison, travaillait tout le jour et recevait invariablement pour sa peine une livre et demie de pain et quatre onces[3] de viande. La ration était inexorable[4]. Claude avait donc habituellement faim dans la prison de Clairvaux.

Il avait faim, et c'était tout. Il n'en parlait pas. C'était sa nature 120 ainsi.

1. **Sur toutes les échelles :** à tous les niveaux de la société.
2. **M. de Cotadilla :** il s'agit d'un général de Napoléon qu'a connu Hugo.
3. **Quatre onces :** quelques grammes.
4. **Était inexorable :** ne changeait jamais.

Un jour, Claude venait de dévorer sa maigre pitance[1], et s'était remis à son métier, croyant tromper la faim par le travail. Les autres prisonniers mangeaient joyeusement. Un jeune homme, pâle, blanc, faible, vint se placer près de lui. Il tenait à la main sa ration, à laquelle il n'avait pas encore touché, et un couteau. Il restait là debout, près de Claude, ayant l'air de vouloir parler et de ne pas oser. Cet homme, et son pain, et sa viande, importunaient Claude.

– Que veux-tu ? dit-il enfin brusquement.

– Que tu me rendes un service, dit timidement le jeune homme.

– Quoi ? reprit Claude.

– Que tu m'aides à manger cela. J'en ai trop.

Une larme roula dans l'œil hautain de Claude. Il prit le couteau, partagea la ration du jeune homme en deux parts égales, en prit une, et se mit à manger.

– Merci, dit le jeune homme. Si tu veux, nous partagerons comme cela tous les jours.

– Comment t'appelles-tu ? dit Claude Gueux.

– Albin.

– Pourquoi es-tu ici ? reprit Claude.

– J'ai volé.

– Et moi aussi, dit Claude.

Ils partagèrent en effet de la sorte tous les jours. Claude Gueux avait trente-six ans, et par moments il en paraissait cinquante, tant sa pensée habituelle était sévère. Albin avait vingt ans, on lui en eût donné dix-sept, tant il y avait encore d'innocence dans le regard de ce voleur. Une étroite amitié se noua entre ces deux hommes, amitié de père à fils plutôt que de frère à frère. Albin était encore presque un enfant ; Claude était déjà presque un vieillard. Ils travaillaient dans le même atelier, ils couchaient sous la même clef de voûte, ils se promenaient dans le même préau, ils mordaient au même pain. Chacun des deux amis était l'univers pour l'autre. Il paraît qu'ils étaient heureux.

Nous avons déjà parlé du directeur des ateliers. Cet homme, haï des prisonniers, était souvent obligé, pour se faire obéir d'eux, d'avoir recours à Claude Gueux, qui en était aimé. Dans plus d'une

1. **Pitance :** nourriture insuffisante.

occasion, lorsqu'il s'était agi d'empêcher une rébellion ou un tumulte, l'autorité sans titre de Claude Gueux avait prêté main-forte à l'autorité officielle du directeur. En effet, pour contenir les prisonniers, dix paroles de Claude valaient dix gendarmes. Claude avait maintes fois rendu ce service au directeur. Aussi le directeur le détestait-il cordialement. Il était jaloux de ce voleur. Il avait an fond du cœur une haine secrète, envieuse, implacable, contre Claude, une haine de souverain de droit à souverain de fait, de pouvoir temporel à pouvoir spirituel.

Ces haines-là sont les pires.

Claude aimait beaucoup Albin, et ne songeait pas au directeur.

Un jour, un matin, au moment où les porte-clefs[1] transvasaient les prisonniers deux à deux du dortoir dans l'atelier, un guichetier[2] appela Albin, qui était à côté de Claude et le prévint que le directeur le demandait.

– Que te veut-on ? dit Claude.

– Je ne sais pas, dit Albin.

Le guichetier emmena Albin.

La matinée se passa, Albin ne revint pas à l'atelier. Quand arriva l'heure du repas, Claude pensa qu'il retrouverait Albin au préau. Albin n'était pas au préau. On rentra dans l'atelier, Albin ne reparut pas dans l'atelier. La journée s'écoula ainsi. Le soir, quand on ramena les prisonniers dans leur dortoir, Claude y chercha des yeux Albin, et ne le vit pas. Il paraît qu'il souffrait beaucoup dans ce moment-là, car il adressa la parole à un guichetier, ce qu'il ne faisait jamais.

– Est-ce qu'Albin est malade ? dit-il.

– Non, répondit le guichetier.

– D'où vient donc, reprit Claude, qu'il n'a pas reparu aujourd'hui ?

– Ah ! dit négligemment le porte-clefs, c'est qu'on l'a changé de quartier.

Les témoins qui ont déposé de ces faits[3] plus tard remarquèrent qu'à cette réponse du guichetier la main de Claude, qui portait une chandelle allumée, trembla légèrement. Il reprit avec calme :

1. **Porte-clefs :** gardiens.
2. **Guichetier :** autre gardien.
3. **Déposé de ces faits :** attesté de ces faits.

– Qui a donné cet ordre-là ?

Le guichetier répondit :

– M. D.

Le directeur des ateliers s'appelait M. D.

195 La journée du lendemain se passa comme la journée précédente, sans Albin.

Le soir, à l'heure de la clôture des travaux, le directeur, M. D., vint faire sa ronde habituelle dans l'atelier. Du plus loin que Claude le vit, il ôta son bonnet de grosse laine, il boutonna sa 200 veste grise, triste livrée[1] de Clairvaux, car il est de principe dans les prisons qu'une veste respectueusement boutonnée prévient favorablement[2] les supérieurs, et il se tint debout et son bonnet à la main à l'entrée de son banc, attendant le passage du directeur. Le directeur passa.

205 – Monsieur ! dit Claude.

Le directeur s'arrêta et se détourna à demi.

– Monsieur, reprit Claude, est-ce que c'est vrai qu'on a changé Albin de quartier ?

– Oui, répondit le directeur.

210 – Monsieur, poursuivit Claude, j'ai besoin d'Albin pour vivre.

Il ajouta :

– Vous savez que je n'ai pas assez de quoi manger avec la ration de la maison, et qu'Albin partageait son pain avec moi.

– C'était son affaire, dit le directeur.

215 – Monsieur, est-ce qu'il n'y aurait pas moyen de faire remettre Albin dans le même quartier que moi ?

– Impossible. Il y a décision prise.

– Par qui ?

– Par moi.

220 – Monsieur D., reprit Claude, c'est la vie ou la mort pour moi, et cela dépend de vous.

– Je ne reviens jamais sur mes décisions.

– Monsieur, est-ce que je vous ai fait quelque chose ?

– Rien.

225 – En ce cas, dit Claude, pourquoi me séparez-vous d'Albin ?

---

1. **Livrée :** vêtement.
2. **Prévient favorablement :** fait bonne impression.

– Parce que, dit le directeur.

Cette explication donnée, le directeur passa outre.

Claude baissa la tête et ne répliqua pas. Pauvre lion en cage à qui l'on ôtait son chien !

230 Nous sommes forcé de dire que le chagrin de cette séparation n'altéra en rien la voracité en quelque sorte maladive du prisonnier. Rien d'ailleurs ne parut sensiblement changé en lui. Il ne parlait d'Albin à aucun de ses camarades. Il se promenait seul dans le préau aux heures de récréation, et il avait faim. Rien de plus.

235 Cependant ceux qui le connaissaient bien remarquaient quelque chose de sinistre et de sombre qui s'épaississait chaque jour de plus en plus sur son visage. Du reste, il était plus doux que jamais.

Plusieurs voulurent partager leur ration avec lui, il refusa en souriant.

240 Tous les soirs, depuis l'explication que lui avait donnée le directeur, il faisait une espèce de chose folle qui étonnait de la part d'un homme aussi sérieux. Au moment où le directeur, ramené à heure fixe par sa tournée habituelle, passait devant le métier de Claude, Claude levait les yeux et le regardait fixement, puis il lui 245 adressait d'un ton plein d'angoisse et de colère, qui tenait à la fois de la prière et de la menace, ces deux mots seulement : *Et Albin ?* Le directeur faisait semblant de ne pas entendre ou s'éloignait en haussant les épaules.

Cet homme avait tort de hausser les épaules, car il était évi- 250 dent pour tous les spectateurs de ces scènes étranges que Claude Gueux était intérieurement déterminé à quelque chose. Toute la prison attendait avec anxiété quel serait le résultat de cette lutte entre une ténacité et une résolution[1].

Il a été constaté qu'une fois entre autres Claude dit au directeur :

255 – Écoutez, monsieur, rendez-moi mon camarade. Vous ferez bien, je vous assure. Remarquez que je vous dis cela.

Une autre fois, un dimanche, comme il se tenait dans le préau, assis sur une pierre, les coudes sur les genoux et son front dans ses mains, immobile depuis plusieurs heures dans la même attitude, le 260 condamné Faillette s'approcha de lui, et lui cria en riant :

– Que diable fais-tu donc là, Claude ?

---

1. **Une résolution** : une décision (celle du directeur).

Claude leva lentement sa tête sévère, et dit

– *Je juge quelqu'un.*

Un soir enfin, le 25 octobre 1831, au moment où le directeur faisait sa ronde, Claude brisa sous son pied avec bruit un verre de montre qu'il avait trouvé le matin dans un corridor. Le directeur demanda d'où venait ce bruit.

– Ce n'est rien, dit Claude, c'est moi. Monsieur le directeur, rendez-moi mon camarade.

– Impossible, dit le maître.

– Il le faut pourtant, dit Claude d'une voix basse et ferme ; et, regardant le directeur en face, il ajouta :

– Réfléchissez. Nous sommes aujourd'hui le 25 octobre. Je vous donne jusqu'au 4 novembre.

Un guichetier fit remarquer à M. D. que Claude le menaçait, et que c'était un cas de cachot.

– Non, point de cachot, dit le directeur avec un sourire dédaigneux ; il faut être bon avec ces gens-là !

Le lendemain, le condamné Pernot aborda Claude, qui se promenait seul et pensif, laissant les autres prisonniers s'ébattre dans un petit carré de soleil à l'autre bout de la cour.

– Eh bien ! Claude, à quoi songes-tu ? tu parais triste.

– *Je crains,* dit Claude, *qu'il n'arrive bientôt quelque malheur à ce bon M. D.*

Il y a neuf jours pleins du 25 octobre au 4 novembre. Claude n'en laissa pas passer un sans avertir gravement le directeur de l'état de plus en plus douloureux où le mettait la disparition d'Albin. Le directeur, fatigué, lui infligea une fois vingt-quatre heures de cachot, parce que la prière ressemblait trop à une sommation[1]. Voilà tout ce que Claude obtint.

Le 4 novembre arriva. Ce jour-là, Claude s'éveilla avec un visage serein qu'on ne lui avait pas encore vu depuis le jour où la *décision* de M. D. l'avait séparé de son ami. En se levant, il fouilla dans une espèce de caisse de bois blanc qui était au pied de son lit, et qui contenait ses quelques guenilles. Il en tira une paire de ciseaux de

1. **Une sommation :** un ordre.

couturière. C'était, avec un volume dépareillé[1] de l'*Émile*[2], la seule chose qui lui restât de la femme qu'il avait aimée, de la mère de son enfant, de son heureux petit ménage d'autrefois. Deux meubles bien inutiles pour Claude ; les ciseaux ne pouvaient servir qu'à une 300 femme, le livre qu'à un lettré. Claude ne savait ni coudre ni lire.

Au moment où il traversait le vieux cloître déshonoré[3] et blanchi à la chaux qui sert de promenoir l'hiver, il s'approcha du condamné Ferrari, qui regardait avec attention les énormes barreaux d'une croisée[4]. Claude tenait à la main la petite paire de ciseaux ; il la 305 montra à Ferrari en disant :

– Ce soir je couperai ces barreaux-ci avec ces ciseaux-là.

Ferrari, incrédule, se mit à rire, et Claude aussi.

Ce matin-là, il travailla avec plus d'ardeur qu'à l'ordinaire ; jamais il n'avait fait si vite et si bien. Il parut attacher un certain 310 prix à terminer dans la matinée un chapeau de paille que lui avait payé d'avance un honnête bourgeois de Troyes, M. Bressier.

Un peu avant midi, il descendit sous un prétexte à l'atelier des menuisiers, situé au rez-de-chaussée, au-dessous de l'étage où il travaillait. Claude était aimé là comme ailleurs, mais il y entrait 315 rarement. Aussi :

– Tiens ! voilà Claude !

On l'entoura. Ce fut une fête. Claude jeta un coup d'œil rapide dans là salle. Pas un des surveillants n'y était.

– Qui est-ce qui a une hache à me prêter ? dit-il.

320 – Pourquoi faire ? lui demanda-t-on.

Il répondit :

– C'est pour tuer ce soir le directeur des ateliers.

On lui présenta plusieurs haches à choisir. Il prit la plus petite, qui était fort tranchante, la cacha dans son pantalon, et sortit. Il y 325 avait là vingt-sept prisonniers. Il ne leur avait pas recommandé[5] le secret. Tous le gardèrent.

---

1. **Dépareillé :** abîmé.
2. **L'*Émile* :** traité du philosophe français J.-J. Rousseau consacré à l'éducation des enfants.
3. **Déshonoré :** parce qu'il sert de prison.
4. **Croisée :** grande fenêtre.
5. **Recommandé :** demandé.

Ils ne causèrent même pas de la chose entre eux.

Chacun attendit de son côté ce qui arriverait. L'affaire était terrible, droite et simple. Pas de complication possible. Claude ne
330 pouvait être ni conseillé ni dénoncé.

Une heure après, il aborda un jeune condamné de seize ans qui bâillait dans le promenoir, et lui conseilla d'apprendre à lire. En ce moment, le détenu Faillette accosta Claude, et lui demanda ce que diable il cachait là dans son pantalon. Claude dit :

335 – C'est une hache pour tuer M. D. ce soir.

Il ajouta :

– Est-ce que cela se voit ?

– Un peu, dit Faillette.

Le reste de la journée fut à l'ordinaire. À sept heures du soir, on
340 renferma les prisonniers, chaque section dans l'atelier qui lui était assigné[1] ; et les surveillants sortirent des salles de travail, comme il paraît que c'est l'habitude, pour ne rentrer qu'après la ronde du directeur.

Claude Gueux fut donc verrouillé[2] comme les autres dans son
345 atelier avec ses compagnons de métier.

Alors il se passa dans cet atelier une scène extraordinaire, une scène qui n'est ni sans majesté ni sans terreur, la seule de ce genre qu'aucune histoire puisse raconter.

Il y avait là, ainsi que l'a constaté l'instruction judiciaire qui a eu
350 lieu depuis, quatrevingt-deux voleurs, y compris Claude.

Une fois que les surveillants les eurent laissés seuls, Claude se leva debout sur son banc, et annonça à toute la chambrée qu'il avait quelque chose à dire. On fit silence.

Alors Claude haussa la voix et dit :

355 – Vous savez tous qu'Albin était mon frère. Je n'ai pas assez de ce qu'on me donne ici pour manger. Même en n'achetant que du pain avec le peu que je gagne, cela ne suffirait pas. Albin partageait sa ration avec moi ; je l'ai aimé d'abord parce qu'il m'a nourri, ensuite parce qu'il m'a aimé. Le directeur, M. D., nous a séparés. Cela ne
360 lui faisait rien que nous fussions ensemble ; mais c'est un méchant

1. **Assigné :** attribué.
2. **Verrouillé :** enfermé.

homme, qui jouit de tourmenter[1]. Je lui ai redemandé Albin. Vous avez vu, il n'a pas voulu. Je lui ai donné jusqu'au 4 novembre pour me rendre Albin. Il m'a fait mettre au cachot pour avoir dit cela. Moi, pendant ce temps-là, je l'ai jugé et je l'ai condamné à mort[*]. 365 Nous sommes au 4 novembre. Il viendra dans deux heures faire sa tournée. Je vous préviens que je vais le tuer. Avez-vous quelque chose à dire à cela ?

Tous gardèrent le silence.

Claude reprit. Il parla, à ce qu'il paraît, avec une éloquence 370 singulière[2], qui d'ailleurs lui était naturelle. Il déclara qu'il savait bien qu'il allait faire une action violente, mais qu'il ne croyait pas avoir tort. Il attesta la conscience des quatrevingt-un voleurs qui l'écoutaient[3] :

Qu'il était dans une rude extrémité ;

375 Que la nécessité de se faire justice soi-même était un cul-de-sac[4] où l'on se trouvait engagé quelquefois ;

Qu'à la vérité il ne pouvait prendre la vie du directeur sans donner la sienne propre, mais qu'il trouvait bon de donner sa vie pour une chose juste ;

380 Qu'il avait mûrement réfléchi, et à cela seulement, depuis deux mois ;

Qu'il croyait bien ne pas se laisser entraîner par le ressentiment, mais que, dans le cas où cela serait, il suppliait qu'on l'en avertit ;

Qu'il soumettait honnêtement ses raisons aux hommes justes 385 qui l'écoutaient ;

Qu'il allait donc tuer M. D., mais que, si quelqu'un avait une objection à lui faire, il était prêt à l'écouter.

Une voix seulement s'éleva, et dit qu'avant de tuer le directeur, Claude devait essayer une dernière fois de lui parler et de le 390 fléchir[5].

– C'est juste, dit Claude, et je le ferai.

---

1. **Qui jouit de tourmenter :** qui aime faire souffrir.
*. **Et je l'ai condamné à mort :** textuel (note de Victor Hugo).
2. **Éloquence singulière :** manière de parler extraordinaire.
3. **Il attesta la conscience des quatrevingt-un voleurs qui l'écoutaient :** il affirma aux quatre-vingt-un voleurs qui l'écoutaient.
4. **Un cul-de-sac :** une solution extrême.
5. **Fléchir :** lui faire changer de décision.

Huit heures sonnèrent à la grande horloge. Le directeur devait venir à neuf heures.

Une fois que cette étrange cour de cassation eut en quelque 395 sorte ratifié la sentence qu'il avait portée, Claude reprit toute sa sérénité. Il mit sur une table tout ce qu'il possédait en linge et en vêtements, la pauvre dépouille du prisonnier, et, appelant l'un après l'autre ceux de ses compagnons qu'il aimait le plus après Albin, il leur distribua tout. Il ne garda que la petite paire de 400 ciseaux.

Puis il les embrassa tous. Quelques-uns pleuraient, il souriait à ceux-là.

Il y eut, dans cette heure dernière, des instants où il causa avec tant de tranquillité et même de gaieté, que plusieurs de ses cama- 405 rades espéraient intérieurement, comme ils l'ont déclaré depuis, qu'il abandonnerait peut-être sa résolution. Il s'amusa même une fois à éteindre une des rares chandelles qui éclairaient l'atelier avec le souffle de sa narine, car il avait de mauvaises habitudes d'éducation qui dérangeaient sa dignité naturelle plus souvent qu'il 410 n'aurait fallu[1]. Rien ne pouvait faire que cet ancien gamin des rues n'eût point par moments l'odeur du ruisseau de Paris.

Il aperçut un jeune condamné qui était pâle, qui le regardait avec des yeux fixes, et qui tremblait, sans doute dans l'attente de ce qu'il allait voir.

415 – Allons, du courage, jeune homme ! lui dit Claude doucement, ce ne sera que l'affaire d'un instant.

Quand il eut distribué toutes ses hardes, fait tous ses adieux, serré tontes les mains, il interrompit quelques causeries inquiètes qui se faisaient çà et là dans les coins obscurs de l'atelier, et il com- 420 manda qu'on se remît au travail. Tous obéirent en silence.

L'atelier où ceci se passait était une salle oblongue[2], un long parallélogramme percé de fenêtres sur ses deux grands côtés, et de

---

1. **Il avait de mauvaises habitudes d'éducation qui dérangeaient sa dignité naturelle plus souvent qu'il n'aurait fallu :** Claude Gueux conserve des traces de mauvaise éducation, telle cette mauvaise habitude consistant à souffler une bougie en soufflant à travers son nez.
2. **Oblongue :** allongée.

deux portes qui se regardaient à ses deux extrémités. Les métiers[1] étaient rangés de chaque côté près des fenêtres, les bancs touchant le mur à angle droit, et l'espace resté libre entre les deux rangées de métiers formait une sorte de longue voie qui allait en ligne droite de l'une des portes à l'autre et traversait ainsi toute la salle. C'était cette longue voie, assez étroite, que le directeur avait à parcourir en faisant son inspection ; il devait entrer par la porte sud et ressortir par la porte nord, après avoir regardé les travailleurs à droite et à gauche. D'ordinaire il faisait ce trajet assez rapidement et sans s'arrêter.

Claude s'était replacé lui-même à son banc, et il s'était remis au travail, comme Jacques Clément se fût remis, à la prière.

Tous attendaient. Le moment approchait. Tout à coup on entendit un coup de cloche. Claude dit :

– C'est l'avant-quart[2].

Alors il se leva, traversa gravement une partie de la salle, et alla s'accouder sur l'angle du premier métier à gauche, tout à côté de la porte d'entrée. Son visage était parfaitement calme et bienveillant.

Neuf heures sonnèrent. La porte s'ouvrit. Le directeur entra.

En ce moment-là, il se fit dans l'atelier un silence de statues.

Le directeur était seul comme d'habitude.

Il entra avec sa figure joviale, satisfaite et inexorable, ne vit pas Claude qui était debout à gauche de la porte, la main droite cachée dans son pantalon, et passa rapidement devant les premiers métiers, hochant la tête, mâchant ses paroles, et jetant çà et là son regard banal, sans s'apercevoir que tous les yeux qui l'entouraient étaient fixés sur une idée terrible.

Tout à coup il se détourna brusquement, surpris d'entendre un pas derrière lui.

C'était Claude, qui le suivait en silence depuis quelques instants.

– Que fais-tu là, toi ? dit le directeur ; pourquoi n'es-tu pas à ta place ?

Car un homme n'est plus un homme là, c'est un chien, on le tutoie.

Claude Gueux répondit respectueusement :

---

1. **Les métiers :** les métiers à tisser.
2. **Avant-quart :** moins le quart.

– C'est que j'ai à vous parler, monsieur le directeur.
– De quoi ?
460 – D'Albin.
– Encore ! dit le directeur.
– Toujours ! dit Claude.
– Ah çà ! reprit le directeur continuant de marcher, tu n'as donc pas eu assez de vingt-quatre heures de cachot ?
465 Claude répondit en continuant de le suivre :
– Monsieur le directeur, rendez-moi mon camarade.
– Impossible !
– Monsieur le directeur, dit Claude avec une voix qui eût attendri le démon, je vous en supplie, remettez Albin avec moi, vous 470 verrez comme je travaillerai bien. Vous qui êtes libre, cela vous est égal, vous ne savez pas ce que c'est qu'un ami ; mais, moi, je n'ai que les quatre murs de ma prison. Vous pouvez aller et venir, vous ; moi je n'ai qu'Albin. Rendez-le-moi. Albin me nourrissait, vous le savez bien. Cela ne vous coûterait que la peine de dire 475 oui. Qu'est-ce que cela vous fait qu'il y ait dans la même salle un homme qui s'appelle Claude Gueux et un autre qui s'appelle Albin ? Car ce n'est pas plus compliqué que cela. Monsieur le directeur, mon bon monsieur D., je vous supplie vraiment, au nom du ciel !
480 Claude n'en avait peut-être jamais tant dit à la fois à un geôlier. Après cet effort, épuisé, il attendit. Le directeur répliqua avec un geste d'impatience :
– Impossible. C'est dit. Voyons, ne m'en reparle plus. Tu m'ennuies.
485 Et, comme il était pressé, il doubla le pas. Claude aussi. En parlant ainsi, ils étaient arrivés tous deux près de la porte de sortie ; les quatrevingts voleurs regardaient et écoutaient, haletants.
Claude toucha doucement le bras du directeur.
– Mais au moins que je sache pourquoi je suis condamné à mort. 490 Dites-moi pourquoi vous l'avez séparé de moi.
– Je te l'ai déjà dit, répondit le directeur, parce que.
Et, tournant le dos à Claude, il avança la main vers le loquet de la porte de sortie.
À la réponse du directeur, Claude avait reculé d'un pas. Les 495 quatrevingts statues qui étaient là virent sortir de son pantalon

sa main droite avec la hache. Cette main se leva, et, avant que le directeur eût pu pousser un cri, trois coups de hache, chose affreuse à dire, assénés tous les trois dans la même entaille, lui avaient ouvert le crâne. Au moment où il tombait à la renverse, un 500 quatrième coup lui balafra le visage ; puis, comme une fureur lancée ne s'arrête pas court, Claude Gueux lui fendit la cuisse droite d'un cinquième coup inutile. Le directeur était mort.

Alors Claude jeta la hache et cria : *À l'autre maintenant !* L'autre, c'était lui. On le vit tirer de sa veste les petits ciseaux de « sa 505 femme », et, sans que personne songeât à l'en empêcher, il se les enfonça dans la poitrine. La laine était courte, la poitrine était profonde. Il y fouilla longtemps et à plus de vingt reprises en criant – Cœur de damné, je ne te trouverai donc pas ! – Et enfin il tomba baigné dans son sang, évanoui sur le mort.

510 Lequel des deux était la victime de l'autre ?

Quand Claude reprit connaissance, il était dans un lit, couvert de linges et de bandages, entouré de soins. Il avait auprès de son chevet de bonnes sœurs de charité, et de plus un juge d'instruction qui instrumentait et qui lui demanda avec beaucoup d'intérêt :

515 – *Comment vous trouvez-vous*[1] *?*

Il avait perdu une grande quantité de sang, mais les ciseaux avec lesquels il avait eu la superstition[2] touchante de se frapper avaient mal fait leur devoir ; aucun des coups qu'il s'était portés n'était dangereux. Il n'y avait de mortelles pour lui que les blessures qu'il 520 avait faites à M. D.

Les interrogatoires commencèrent. On lui demanda si c'était lui qui avait tué le directeur des ateliers de la prison de Clairvaux. Il répondit : *Oui.* On lui demanda pourquoi. Il répondit : *Parce que.*

Cependant, à un certain moment, ses plaies s'envenimèrent ; il 525 fut pris d'une fièvre mauvaise dont il faillit mourir.

Novembre, décembre, janvier et février se passèrent en soins et en préparatifs ; médecins et juges s'empressaient autour de Claude ; les uns guérissaient ses blessures, les autres dressaient son échafaud.

---

1. ***Comment vous trouvez-vous ? :*** comment allez-vous ?
2. **La superstition :** le projet.

530 Abrégeons. Le 16 mars 1832, il parut, étant parfaitement guéri, devant la cour d'assises de Troyes. Tout ce que la ville peut donner de foule était là.

Claude eut une bonne attitude devant la cour. Il s'était fait raser avec soin, il avait la tête nue, il portait ce morne habit des prison- 535 niers de Clairvaux, mi-parti[1] de deux espèces de gris.

Le procureur du roi avait encombré la salle de toutes les baïonnettes[2] de l'arrondissement, « afin, dit-il à l'audience, de contenir tous les scélérats qui devaient figurer comme témoins dans cette affaire ».

540 Lorsqu'il fallut entamer les débats, il se présenta une difficulté singulière. Aucun des témoins des événements du 4 novembre ne voulait déposer contre Claude. Le président les menaça de son pouvoir discrétionnaire[3]. Ce fut en vain. Claude alors leur commanda de déposer[4]. Toutes les langues se délièrent. Ils dirent ce 545 qu'ils avaient vu.

Claude les écoutait tous avec une profonde attention. Quand l'un d'eux, par oubli, ou par affection pour Claude, omettait des faits à la charge de l'accusé, Claude les rétablissait.

De témoignage en témoignage, la série des faits que nous venons 550 de développer se déroula devant la cour.

Il y eut un moment où les femmes qui étaient là pleurèrent. L'huissier appela le condamné Albin. C'était son tour de déposer. Il entra en chancelant ; il sanglotait. Les gendarmes ne purent empêcher qu'il n'allât tomber dans les bras de Claude. Claude le soutint 555 et dit en souriant au procureur du roi – Voilà un scélérat qui partage son pain avec ceux qui ont faim.

– Puis il baisa la main d'Albin.

La liste des témoins épuisée, monsieur le procureur du roi se leva et prit la parole en ces termes – Messieurs les jurés, la société 560 serait ébranlée jusque dans ses fondements, si la vindicte[5] publique n'atteignait pas les grands coupables comme celui qui, etc.

---

1. **Mi-parti :** fait de deux moitiés de tissu.
2. **Baïonnettes :** soldats armés de baïonnettes.
3. **Discrétionnaire :** auquel on ne peut s'opposer.
4. **Déposer :** témoigner.
5. **Vindicte :** haine.

Après ce discours mémorable, l'avocat de Claude parla. La plaidoirie contre et la plaidoirie pour firent, chacune à leur tour, les évolutions qu'elles ont coutume de faire dans cette espèce d'hippodrome[1] qu'on appelle un procès criminel.

Claude jugea que tout n'était pas dit. Il se leva à son tour. Il parla de telle sorte qu'une personne intelligente qui assistait à cette audience s'en revint frappée d'étonnement.

Il paraît que ce pauvre ouvrier contenait bien plutôt un orateur qu'un assassin. Il parla debout, avec une voix pénétrante et bien ménagée, avec un œil clair, honnête et résolu, avec un geste presque toujours le même, mais plein d'empire[2]. Il dit les choses comme elles étaient, simplement, sérieusement, sans charger ni amoindrir, convint de tout, regarda l'article 296 en face, et posa sa tête dessous. Il eut des moments de véritable haute éloquence[3] qui faisaient remuer la foule, et où l'on se répétait à l'oreille dans l'auditoire ce qu'il venait de dire.

Cela faisait un murmure pendant lequel Claude reprenait haleine en jetant un regard fier sur les assistants.

Dans d'autres instants, cet homme qui ne savait pas lire était doux, poli, choisi, comme un lettré ; puis, par moments encore, modeste, mesuré, attentif, marchant pas à pas dans la partie irritante de la discussion, bienveillant pour les juges.

Une fois seulement, il se laissa aller à une secousse de colère. Le procureur du roi avait établi dans le discours que nous avons cité en entier que Claude Gueux avait assassiné le directeur des ateliers sans voie de fait ni violence de la part du directeur, par conséquent *sans provocation.*

– Quoi ! s'écria Claude, je n'ai pas été provoqué ! Ah ! oui, vraiment, c'est juste, je vous comprends. Un homme ivre me donne un coup de poing, je le tue, j'ai été provoqué, vous me faites grâce, vous m'envoyez aux galères. Mais un homme qui n'est pas ivre et qui a toute sa raison me comprime le cœur pendant quatre ans, m'humilie pendant quatre ans, me pique tous les jours, toutes les heures, toutes les minutes, d'un coup d'épingle à quelque place

1. **Hippodrome :** stade où sont organisées des courses de chevaux.
2. **Empire :** majesté.
3. **Éloquence :** manière de parler spectaculaire.

inattendue pendant quatre ans ! J'avais une femme pour qui j'ai volé, il me torture avec cette femme ; j'avais un enfant pour qui j'ai volé, il me torture avec cet enfant ; je n'ai pas assez de pain, un ami m'en donne, il m'ôte mon ami et mon pain. Je redemande mon ami, il me met au cachot. Je lui dis *vous*, à lui mouchard, il me dit *tu*. Je lui dis que je souffre, il me dit que je l'ennuie. Alors que voulez-vous que je fasse ? Je le tue. C'est bien, je suis un monstre, j'ai tué cet homme, je n'ai pas été provoqué, vous me coupez la tête. Faites.

Mouvement sublime, selon nous, qui faisait tout à coup surgir, au-dessus du système de la provocation matérielle[1], sur lequel s'appuie l'échelle mal proportionnée des circonstances atténuantes, toute une théorie de la provocation morale oubliée par la loi.

Les débats fermés, le président fit son résumé impartial et lumineux. Il en résulta ceci. Une vilaine vie. Un monstre en effet. Claude Gueux avait commencé par vivre en concubinage avec une fille publique[2], puis il avait volé, puis il avait tué. Tout cela était vrai.

Au moment d'envoyer les jurés dans leur chambre, le président demanda à l'accusé s'il avait quelque chose à dire sur la position des questions.

– Peu de chose, dit Claude. Voici, pourtant. Je suis un voleur et un assassin ; j'ai volé et tué. Mais pourquoi ai-je volé ? pourquoi ai-je tué ? Posez ces deux questions à côté des autres, messieurs les jurés.

Après un quart d'heure de délibération, sur la déclaration des douze champenois qu'on appelait *messieurs les jurés*, Claude Gueux fut condamné à mort.

Il est certain que, dès l'ouverture des débats, plusieurs d'entre eux avaient remarqué que l'accusé s'appelait *Gueux*[3], ce qui leur avait fait une impression profonde.

On lut son arrêt à Claude, qui se contenta de dire :

---

1. **Système de la provocation matérielle :** manière d'expliquer les crimes par leurs circonstances matérielles.
2. **Fille publique :** prostituée.
3. ***Gueux :*** « misérable ».

– C'est bien. Mais pourquoi cet homme a-t-il volé ? Pourquoi cet homme a-t-il tué ? Voilà deux questions auxquelles ils ne répondent pas.

630 Rentré dans la prison, il soupa gaiement et dit :

– Trente-six ans de faits !

Il ne voulut pas se pourvoir en cassation. Une des sœurs qui l'avaient soigné vint l'en prier avec larmes. Il se pourvut[1] par complaisance pour elle. Il paraît qu'il résista jusqu'au dernier instant, 635 car, au moment où il signa son pourvoi sur le registre du greffé[2] ; le délai légal des trois jours était expiré depuis quelques minutes.

La pauvre fille reconnaissante lui donna cinq francs. Il prit l'argent et la remercia.

Pendant que son pourvoi pendait[3], des offres d'évasion lui furent 640 faites par les prisonniers de Troyes, qui s'y dévouaient tous. Il refusa.

Les détenus jetèrent successivement dans son cachot, par le soupirail, un clou, un morceau de fil de fer et une anse de seau. Chacun de ces trois outils eût suffi, à un homme aussi intelligent 645 que l'était Claude, pour limer ses fers. Il remit l'anse, le fil de fer et le clou au guichetier.

Le 8 juin 1832, sept mois et quatre jours après le fait, l'expiation arriva, *pede claudo*[4], comme on voit. Ce jour-là, à sept heures du matin, le greffier du tribunal entra dans le cachot de Claude, et lui 650 annonça qu'il n'avait plus qu'une heure à vivre.

Son pourvoi était rejeté.

– Allons, dit Claude froidement, j'ai bien dormi cette nuit, sans me douter que je dormirais encore mieux la prochaine.

Il paraît que les paroles des hommes forts doivent toujours rece- 655 voir de l'approche de la mort une certaine grandeur.

Le prêtre arriva, puis le bourreau. Il fut humble avec le prêtre, doux avec l'autre. Il ne refusa ni son âme, ni son corps.

Il conserva une liberté d'esprit parfaite. Pendant qu'on lui coupait les cheveux, quelqu'un parla, dans un coin du cachot, du choléra 660 qui menaçait Troyes en ce moment.

---

1. **Il se pourvut :** il demanda un nouveau jugement ou une grâce.
2. **Registre du greffé :** registre où étaient inscrits les pourvois.
3. **Pendait :** attendait.
4. ***Pede claudo :*** « d'un pied boiteux » ; autrement dit, « lentement ».

– Quant à moi, dit Claude avec un sourire, je n'ai pas peur du choléra.

Il écoutait d'ailleurs le prêtre avec une attention extrême, en s'accusant beaucoup et en regrettant de n'avoir pas été instruit dans la religion.

Sur sa demande, on lui avait rendu les ciseaux avec lesquels il s'était frappé. Il y manquait une lame, qui s'était brisée dans sa poitrine. Il pria le geôlier de faire porter de sa part ces ciseaux à Albin. Il dit aussi qu'il désirait qu'on ajoutât à ce legs la ration de pain qu'il aurait dû manger ce jour-là.

Il pria ceux qui lui lièrent les mains de mettre dans sa main droite la pièce de cinq francs que lui avait donnée la sœur, la seule chose qui lui restât désormais.

À huit heures moins un quart, il sortit de la prison, avec tout le lugubre cortège ordinaire des condamnés. Il était à pied, pâle, l'œil fixé sur le crucifix du prêtre, mais marchant d'un pas ferme.

On avait choisi ce jour-là pour l'exécution, parce que c'était jour de marché, afin qu'il y eût le plus de regards possible sur son passage ; car il paraît qu'il y a encore en France des bourgades à demi sauvages où, quand la société tue un homme, elle s'en vante.

Il monta sur l'échafaud gravement, l'œil toujours fixé sur le gibet du Christ. Il voulut embrasser le prêtre, puis le bourreau, remerciant l'un, pardonnant à l'autre. Le bourreau *le repoussa doucement*, dit une relation[1]. Au moment où l'aide le liait sur la hideuse mécanique, il fit signe au prêtre de prendre la pièce de cinq francs qu'il avait dans sa main droite, et lui dit :

– *Pour les pauvres.*

Comme huit heures sonnaient en ce moment, le bruit du beffroi de l'horloge couvrit sa voix, et le confesseur lui répondit qu'il n'entendait pas. Claude attendit l'intervalle de deux coups et répéta avec douceur :

– *Pour les pauvres.*

Le huitième coup n'était pas encore sonné que cette noble et intelligente tête était tombée.

Admirable effet des exécutions publiques ! ce jour-là même, la machine étant encore debout au milieu d'eux et pas lavée, les gens

1. **Une relation :** un récit.

du marché s'ameutèrent pour une question de tarif et faillirent massacrer un employé de l'octroi. Le doux peuple que vous font ces lois-là !

700 Nous avons cru devoir raconter en détail l'histoire de Claude Gueux, parce que, selon nous, tous les paragraphes de cette histoire pourraient servir de têtes de chapitre au livre où serait résolu le grand problème du peuple au dix-neuvième siècle.

Dans cette vie importante il y a deux phases principales : avant 705 la chute, après la chute ; et, sous ces deux phases, deux questions : question de l'éducation, question de la pénalité[1] ; et, entre ces deux questions, la société tout entière.

1. **Pénalité :** loi qui fixe les peines.

Clefs d'analyse

Claude Gueux, l. 681 à 707 (p. 178 à 179)

Action et personnages

1. Quel portrait nous est fait de Claude Gueux ? Trouvez-vous ce portrait vraisemblable ?
2. Quels détails Hugo nous donne-t-il sur l'exécution ? Celle-ci est-elle présentée de manière effrayante ou simplement impressionnante ? Quels détails sont laissés dans le silence ?
3. Quels sons rythment le récit ? Quel est l'effet produit ?
4. Quels sont les autres acteurs de l'exécution ?

Langue

5. Pourquoi certaines expressions du texte sont-elles selon vous en italique ?
6. « Admirable effet des exécutions publiques ! » (ligne 695) : de quel effet parle Hugo ?
7. « Le doux peuple » (ligne 698) : comment comprenez-vous cette formule ? Que sous-entend Hugo ?
8. « entre ces deux questions, la société tout entière » (lignes 706-707) : que veut dire ici Hugo ?

Genre ou thèmes

9. Comparez ce texte avec les descriptions d'exécution données par *Le Dernier Jour d'un condamné* dans ce même volume. Que remarquez-vous ?
10. À qui vous fait penser Claude Gueux dans ce passage : à un criminel ou à un héros ? Justifiez votre réponse.
11. Connaissez-vous d'autres passages littéraires dépeignant des exécutions publiques ? Donnez des exemples.

Écriture

12. Essayez de rédiger le récit de la mort de Claude Gueux du point de vue de l'un des spectateurs que la scène aurait bouleversé.

Pour aller plus loin

13. Le récit de Hugo cherche-t-il à nous toucher ? Si oui, utilise-t-il pour cela des détails cruels ou pathétiques ?
14. Quelle morale Hugo tire-t-il de son récit ? Comment présente-t-il rétrospectivement son roman ?
15. À qui Hugo s'adresse-t-il dans ce texte ? Que veut-il démontrer au « doux peuple » ?
16. Pourquoi Hugo insiste-t-il sur le rôle du prêtre ? Quelles sont, selon vous, ses opinions religieuses ?
17. Comparez l'attitude de Claude Gueux et celle du héros du *Dernier Jour d'un condamné* face à la mort. Expliquez les différences.

* À retenir

La scène d'exécution d'un condamné est un motif littéraire célèbre dont on retrouvera de nombreux exemples tout au long du XIXe siècle. Dans plusieurs textes de souvenirs et dans sa correspondance, Hugo raconte avoir été frappé lui-même par le spectacle d'une exécution. Dans *Claude Gueux*, loin d'être spectaculaire, l'exécution du héros donne à celui-ci une dimension héroïque, voire religieuse.

Cet homme, certes, était bien né, bien organisé, bien doué. Que lui a-t-il donc manqué ? Réfléchissez.

710 C'est là le grand problème de proportion dont la solution, encore à trouver, donnera l'équilibre universel : *Que la société fasse toujours pour l'individu autant que la nature.*

Voyez Claude Gueux. Cerveau bien fait, cœur bien fait, sans nul doute. Mais le sort le met dans une société si mal faite, qu'il finit, 715 par voler ; la société le met dans une prison si mal faite, qu'il finit par tuer.

Qui est réellement coupable ?

Est-ce lui ?

Est-ce nous ?

720 Questions sévères, questions poignantes[1], qui sollicitent à cette heure toutes les intelligences, qui nous tirent tous tant que nous sommes par le pan de notre habit, et qui nous barreront un jour si complètement le chemin, qu'il faudra bien les regarder en face et savoir ce qu'elles nous veulent.

725 Celui qui écrit ces lignes essaiera de dire bientôt peut-être de quelle façon il les comprend.

Quand on est en présence de pareils faits, quand on songe à la manière dont ces questions nous pressent, on se demande à quoi pensent ceux qui gouvernent, s'ils ne pensent pas à cela.

730 Les Chambres[2], tous les ans, sont gravement occupées.

Il est sans doute très important de désenfler les sinécures[3] et d'écheniller[4] le budget ; il est très important de faire des lois pour que j'aille, déguisé en soldat, monter patriotiquement la garde à la porte de M. le comte de Lobau[5], que je ne connais pas et que je 735 ne veux pas connaître, ou pour me contraindre à parader au carré Marigny[6], sous le bon plaisir de mon épicier, dont on a fait mon officier*.

---

1. **Poignantes :** douloureuses.
2. **Les Chambres :** les assemblées.
3. **Désenfler les sinécures :** supprimer les emplois privilégiés.
4. **Écheniller :** restreindre.
5. **M. le comte de Lobau :** commandant de la garde nationale de Paris.
6. **Carré Marigny :** lieu parisien mondain.

*. **Mon officier :** il va sans dire que nous n'entendons pas attaquer ici la patrouille urbaine, chose utile, qui garde la rue, le seuil et le foyer ; mais seulement la parade, le pompon, la gloriole et le tapage militaire, choses ridicules, qui ne servent qu'à faire du bourgeois une parodie de soldat (note de Victor Hugo).

Il est important, députés ou ministres, de fatiguer et de tirailler[1] toutes les choses et toutes les idées de ce pays dans des discussions
740 pleines d'avortements[2] ; il est essentiel, par exemple, de mettre sur la sellette[3] et d'interroger et de questionner à grands cris, et sans savoir ce qu'on dit, l'art du dix-neuvième siècle, ce grand et sévère accusé qui ne daigne pas répondre et qui fait bien ; il est expédient de passer son temps, gouvernants et législateurs, en conférences
745 classiques qui font hausser les épaules aux maîtres d'école de la banlieue ; il est utile de déclarer que c'est le drame moderne qui a inventé l'inceste, l'adultère, le parricide, l'infanticide et l'empoisonnement, et de prouver par là qu'on ne connaît ni Phèdre, ni Jocaste, ni Œdipe, ni Médée, ni Rodogune[4] ; il est indispensable
750 que les orateurs politiques de ce pays ferraillent, trois grands jours durant, à propos du budget, pour Corneille et Racine, contre on ne sait qui, et profitent de cette occasion littéraire pour s'enfoncer les uns les autres à qui mieux mieux dans la gorge de grandes fautes de français jusqu'à la garde.

755 Tout cela est important ; nous croyons cependant qu'il pourrait y avoir des choses plus importantes encore.

Que dirait la Chambre, au milieu des futiles démêlés qui font si souvent colleter le ministère par l'opposition et l'opposition par le ministère, si, tout à coup, des bancs de la Chambre ou de
760 la tribune publique, qu'importe ? quelqu'un se levait et disait ces sérieuses paroles :

– Taisez-vous, qui que vous soyez, vous qui parlez ici, taisez-vous ! vous croyez être dans la question, vous n'y êtes pas.

La question, la voici. La justice vient, il y a un an à peine, de
765 déchiqueter un homme à Pamiers avec un eustache ; à Dijon, elle vient d'arracher la tête à une femme ; à Paris, elle fait, barrière Saint-Jacques, des exécutions inédites.

Ceci est la question. Occupez-vous de ceci.

---

1. **Fatiguer et tirailler :** discuter sans cesse.
2. **Avortements :** interruptions.
3. **Mettre sur la sellette :** s'intéresser à.
4. **Ni Phèdre, ni Jocaste, ni Œdipe, ni Médée, ni Rodogune :** héros tragiques célèbres et criminels.

Vous vous querellerez après pour savoir si les boutons de la
770 garde nationale doivent être blancs ou jaunes, et si l'*assurance* est une plus belle chose que la *certitude*.

Messieurs des centres, messieurs des extrémités[1], le gros du peuple souffre !

Que vous l'appeliez république ou que vous l'appeliez monarchie,
775 le peuple souffre, ceci est un fait.

Le peuple a faim, le peuple a froid. La misère le pousse au crime ou au vice, selon le sexe. Ayez pitié du peuple, à qui le bagne prend ses fils, et le lupanar[2] ses filles. Vous avez trop de forçats, vous avez trop de prostituées.

780 Que prouvent ces deux ulcères ?

Que le corps social a un vice dans le sang.

Vous voilà réunis en consultation au chevet du malade ; occupez-vous de la maladie.

Cette maladie, vous la traitez mal. Étudiez-là mieux. Les lois que
785 vous faites, quand vous en faites, ne sont que des palliatifs[3] et des expédients. Une moitié de vos codes est routine, l'autre moitié empirisme[4].

La flétrissure[5] était une cautérisation[6] qui gangrenait la plaie ; peine insensée que celle qui pour la vie scellait et rivait le crime
790 sur le criminel[7] ! qui en faisait deux amis, deux compagnons, deux inséparables !

Le bagne est un vésicatoire[8] absurde qui laisse résorber, non sans l'avoir rendu pire encore, presque tout le mauvais sang qu'il extrait. La peine de mort est une amputation barbare.

---

1. **Extrémités :** députés situés aux extrêmes politiques.
2. **Lupanar :** maison close.
3. **Palliatifs :** remèdes sans efficacité.
4. **Empirisme :** action privée de toute réflexion préalable.
5. **La flétrissure :** marque au fer rouge sur l'épaule du condamné.
6. **Cautérisation :** manière de soigner une blessure pour éviter justement qu'elle se gangrène.
7. **Scellait et rivait le crime sur le criminel :** inscrivait définitivement la marque du crime sur celui qui l'avait commis.
8. **Vésicatoire :** traitement médical d'une blessure.

795 Or, flétrissure, bagne, peine de mort, trois choses qui se tiennent. Vous avez supprimé la flétrissure ; si vous êtes logiques, supprimez le reste.

Le fer rouge, le boulet et le couperet, c'étaient les trois parties d'un syllogisme[1].

800 Vous avez ôté le fer rouge ; le boulet et le couperet n'ont plus de sens. Farinace[2] était atroce ; mais il n'était pas absurde.

Démontez-moi cette vieille échelle boiteuse des crimes et des peines, et refaites-la. Refaites votre pénalité, refaites vos codes, refaites vos prisons, refaites vos juges. Remettez les lois au pas des 805 mœurs.

Messieurs, il se coupe trop de têtes par an en France. Puisque vous êtes en train de faire des économies, faites-en là-dessus.

Puisque vous êtes en verve de suppressions, supprimez le bourreau. Avec la solde de vos quatre-vingts bourreaux, vous payerez 810 six cents maîtres d'école.

Songez au gros du peuple. Des écoles pour les enfants, des ateliers pour les hommes.

Savez-vous que la France est un des pays de l'Europe où il y a le moins de natifs qui sachent lire ! Quoi ! là Suisse sait lire, la 815 Belgique. sait lire, le Danemark sait lire, la Grèce sait lire, l'Irlande sait lire, et la France ne sait pas lire ? c'est une honte.

Allez dans les bagnes. Appelez autour de vous toute la chiourme. Examinez un à un tous ces damnés de la loi humaine. Calculez l'inclinaison de tous ces profils, tâtez tous ces crânes. Chacun de 820 ces hommes tombés a au-dessous de lui son type bestial ; il semble que chacun d'eux soit le point d'intersection de telle ou telle espèce animale avec l'humanité. Voici le loup-cervier, voici le chat, voici le singe, voici le vautour, voici la hyène. Or, de ces pauvres têtes mal conformées, le premier tort est à la nature sans doute, le 825 second à l'éducation.

La nature a mal ébauché, l'éducation a mal retouché l'ébauche. Tournez vos soins de ce côté. Une bonne éducation au peuple. Développez de votre mieux ces malheureuses têtes, afin que l'intelligence qui est dedans puisse grandir.

---

1. **Syllogisme :** raisonnement logique en trois parties.
2. **Farinace :** magistrat italien du XVIe siècle connu pour sa cruauté.

830 Les nations ont le crâne bien ou mal fait selon leurs institutions.

Rome et la Grèce avaient le front haut. Ouvrez le plus que vous pourrez l'angle facial[1] du peuple.

Quand la France saura lire, ne laissez pas sans direction cette intelligence que vous aurez développée. Ce serait un autre désordre.
835 L'ignorance vaut encore mieux que la mauvaise science. Non. Souvenez-vous qu'il y a un livre plus philosophique que *Le Compère Mathieu*, plus populaire que *Le Constitutionnel*, plus éternel que la Charte de 1830[2] ; c'est l'Écriture sainte. Et ici un mot d'explication.

840 Quoi que vous fassiez, le sort de la grande foule, de la multitude, de la *majorité*, sera toujours relativement pauvre, et malheureux, et triste. À elle le dur travail, les fardeaux à pousser, les fardeaux à traîner, les fardeaux à porter.

Examinez cette balance : toutes les jouissances dans le plateau
845 du riche, toutes les misères dans le plateau du pauvre. Les deux parts ne sont-elles pas inégales ? La balance ne doit-elle pas nécessairement pencher, et l'état avec elle ?

Et maintenant dans le lot du pauvre, dans le plateau des misères, jetez la certitude d'un avenir céleste, jetez l'aspiration au bonheur
850 éternel, jetez le paradis, contre-poids magnifique ! Vous rétablissez l'équilibre. La part du pauvre est aussi riche que la part du riche.

C'est ce que savait Jésus, qui en savait plus long que Voltaire[3].

Donnez au peuple qui travaille et qui souffre, donnez au peuple, pour qui ce monde-ci est mauvais, la croyance à un meilleur
855 monde fait pour lui.

Il sera tranquille, il sera patient. La patience est faite d'espérance.

Donc ensemencez les villages d'évangiles[4]. Une bible par cabane. Que chaque livre et chaque champ produisent à eux deux un travailleur moral.

---

1. **L'angle facial :** par métaphore, l'ouverture d'esprit, la grandeur d'âme.
2. ***Le Compère Mathieu* [...] le *Constitutionnel* [...] la Charte de 1830 :** trois exemples de publications républicaines. *Le Compère Mathieu* et *Le Constitutionnel* sont deux journaux « libéraux », c'est-à-dire attentifs à la question du progrès social.
3. **Voltaire :** philosophe du Siècle des lumières, et que l'on a souvent opposé au christianisme.
4. **Évangiles :** Nouveau Testament, autrement dit la Bible.

860 La tête de l'homme du peuple, voilà la question. Cette tête est pleine de germes utiles. Employez pour la faire mûrir et venir à bien ce qu'il y a de plus lumineux et de mieux tempéré dans la vertu.

Tel a assassiné sur les grandes routes qui, mieux dirigé, eût été le plus excellent serviteur de la cité.

865 Cette tête de l'homme du peuple, cultivez-la, défrichez-la, arrosez-la, fécondez-la, éclairez-la, moralisez-la, utilisez-la ; vous n'aurez pas besoin de la couper.

Il va sans dire que nous n'entendons pas attaquer ici la patrouille urbaine, chose utile, qui garde la rue, le seuil et le foyer ; mais 870 seulement la parade, le pompon, la gloriole et le tapage militaire, choses ridicules, qui ne servent qu'à faire du bourgeois une parodie du soldat (note de Hugo).

1. ***Le Dernier Jour d'un condamné* est :**
   - ☐ a. un roman
   - ☐ b. une autobiographie
   - ☐ c. un journal authentique
   - ☐ d. une œuvre dramatique
   - ☐ e. une nouvelle
   - ☐ f. une tragédie

2. **Victor Hugo est l'auteur (plusieurs réponses possibles) :**
   - ☐ a. de poèmes
   - ☐ b. de souvenirs
   - ☐ c. de romans
   - ☐ d. de pamphlets
   - ☐ e. de films
   - ☐ f. de dessins
   - ☐ g. de biographies

3. **Dans *Le Dernier Jour d'un condamné*, l'auteur apparaît (plusieurs réponses sont possibles) :**
   - ☐ a. sous la figure du narrateur
   - ☐ b. pour introduire le roman
   - ☐ c. comme héros de l'action
   - ☐ d. comme un personnage secondaire

4. **À sa publication, *Le Dernier Jour d'un condamné* est signé :**
   - ☐ a. Victor Hugo
   - ☐ b. Jules Janin
   - ☐ c. un anonyme

Sources et postérité

1. **Qui a dit : « Hugo est [...] le plus sûr maître de notre syntaxe et des formes de notre langue que la littérature française ait connu ? » :**
   - ☐ a. Flaubert
   - ☐ b. Baudelaire
   - ☐ c. Gide
2. **Quel écrivain n'a pas pu connaître Hugo de son vivant :**
   - ☐ a. Chateaubriand
   - ☐ b. Mallarmé
   - ☐ c. Beaumarchais
3. ***Le Dernier Jour d'un condamné* a été inspiré (plusieurs réponses possibles) :**
   - ☐ a. Par *Les Trois Mousquetaires* d'Alexandre Dumas.
   - ☐ b. Par l'expérience personnelle de Victor Hugo.
   - ☐ c. Par les *Mémoires d'outre-tombe* de Chateaubriand.
   - ☐ d. Par les ouvrages des philosophes des Lumières.

Le temps et les lieux

1. **Remettez dans l'ordre les lieux où se déroule *Le Dernier Jour d'un condamné* :**
   - ☐ a. Bicêtre
   - ☐ b. Toulon
   - ☐ c. la place de Grève
   - ☐ d. la conciergerie
2. **Dans quel pays le condamné à mort du *Dernier Jour d'un condamné* envisage-t-il de s'enfuir ?**
   - ☐ a. la Suisse
   - ☐ b. les États-Unis
   - ☐ c. l'Angleterre

Avez-vous bien lu ?

3. **Où se trouve Bicêtre ?**
   - ☐ a. près de Toulon
   - ☐ b. dans Paris
   - ☐ c. près de Paris

4. **À quelle heure a lieu l'exécution ?**
   - ☐ a. à minuit
   - ☐ b. à midi
   - ☐ c. à quatre heures

Les personnages

1. **Citez le nom d'un condamné à mort ayant précédé le héros du *Dernier Jour d'un condamné* dans sa cellule.**

2. **Quel âge a la fille du condamné ?**
   - ☐ a. 3 ans
   - ☐ b. 4 ans
   - ☐ c. environ 6 ans

3. **Combien de prêtre(s) le condamné rencontre-t-il ?**
   - ☐ a. un
   - ☐ b. deux
   - ☐ c. trois

4. **Qui est Papavoine ?**
   - ☐ a. un compagnon de cellule du narrateur
   - ☐ b. un autre condamné à mort
   - ☐ c. un gardien de prison

5. **Quel est le nom de la compagne de jeu du condamné dans sa jeunesse ?**
   - ☐ a. Petita
   - ☐ b. Pepite
   - ☐ c. Cosette
   - ☐ d. Pepita

L'histoire

1. La préface du *Dernier Jour d'un condamné* est parue :

☐ a. en 1829
☐ b. en 1830
☐ c. en 1832

2. À quel moment de l'histoire de France Hugo a-t-il pensé que la peine de mort aurait pu être abolie ?

☐ a. Lors de la Terreur, en 1793.
☐ b. Lors de la révolution de 1848.
☐ c. Lors de la révolution de 1830.

3. Quel est l'auteur du *Traité des délits et des peines* ?

☐ a. Beccaria
☐ b. Hugo
☐ c. Voltaire
☐ d. Rousseau

4. Donnez le nom d'un bourreau célèbre :

☐ a. Guillotin
☐ b. Samson
☐ c. Robespierre

5. Dans « Une comédie à propos d'une tragédie », quel vers indigne Le gros monsieur ?

6. « Il a un nom aussi difficile à retenir qu'à prononcer » : de qui parle-t-on ?

☐ a. de Hugo
☐ b. de Beccaria
☐ c. du poète élégiaque

7. De qui est le vers suivant : « Et la chute des arts suit la décadence des mœurs » ?

☐ a. Hugo
☐ b. Le poète élégiaque
☐ c. Boileau

8. Sur quelle phrase célèbre s'achève la saynète ?

- ☐ a. « Madame est sortie »
- ☐ b. « La marquise sortit à cinq heures »
- ☐ c. « Madame est servie »

9. Combien de chapitres compte *Le Dernier Jour d'un condamné* ?

- ☐ a. 39
- ☐ b. 59
- ☐ c. 49

10. Quel chapitre du *Dernier Jour d'un condamné* est manquant ?

- ☐ a. le chapitre XVI
- ☐ b. le chapitre XL
- ☐ c. le chapitre XLVII

11. Combien de temps s'est-il écoulé entre l'annonce de la condamnation à mort et le début du *Dernier Jour d'un condamné* ?

- ☐ a. 24 heures
- ☐ b. Cinq semaines
- ☐ c. Trois ans

12. En quel mois s'est déroulé le procès du narrateur du *Dernier Jour d'un condamné* ?

- ☐ a. en décembre
- ☐ b. en janvier
- ☐ c. en août

13. Remettez dans l'ordre, s'il y a lieu, les phrases des paragraphes suivants :

- ☐ a. Une figure insignifiante et nulle, placée a une table au-dessous du tribunal, c'était, je pense, le greffier, prit la parole, et lut le verdict que les jurés avaient prononcé en mon absence.
- ☐ b. La troupe porta les armes ; comme par un mouvement électrique, toute l'assemblée fut debout au même instant.

☐ c. Une sueur froide sortit de tous mes membres ;
je m'appuyai au mur pour ne pas tomber.

☐ d. Tout à coup le président, qui n'attendait que l'avocat,
m'invita à me lever.

14. À quel chapitre du *Dernier Jour d'un condamné* le narrateur est-il transporté à Bicêtre ?

☐ a. au chapitre VI
☐ b. au chapitre XI
☐ c. au chapitre XX
☐ d. au chapitre IV

15. Dans l'espoir de voir alléger sa peine, le condamné du *Dernier Jour d'un condamné* fait appel :

☐ a. à la Cour de cassation
☐ b. à la cour d'appel
☐ c. à la cour de cessation
☐ d. au Conseil d'État

16. Lequel de ces mots désigne en argot la tête d'un criminel ? Plusieurs choix sont possibles :

☐ a. la tronche
☐ b. le gigot
☐ c. la Sorbonne
☐ d. le chevât
☐ e. la cabosse

17. Quel(s) personnage(s) ne travaille(nt) pas en prison ? Plusieurs choix sont possibles :

☐ a. le guichetier
☐ b. le porte-clef
☐ c. le porte-feuille
☐ d. le garde-chiourme
☐ e. l'huissier

18. Un philanthrope est :

☐ a. quelqu'un qui aide les autres
☐ b. quelqu'un qui déteste les autres
☐ c. quelqu'un qui réfléchit sur les autres

19. « J'ai vu, ces jours passés, une chose hideuse » : de quoi parle le narrateur du *Dernier Jour d'un condamné* ?

☐ a. d'une exécution
☐ b. d'un meurtre
☐ c. du ferrement des forçats
☐ d. d'une araignée

20. Remettez dans l'ordre les événements suivants du *Dernier Jour d'un condamné* :

☐ a. Première visite d'un prêtre
☐ b. Transfert à la Conciergerie
☐ c. Visite de la fille du condamné
☐ d. Départ pour la place de Grève

21. Quel(s) personnage(s) a (ont) perdu son (leur) tabac ?

☐ a. l'aumônier
☐ b. le directeur de prison
☐ c. le prêtre
☐ d. l'huissier

22. Un « friauche » est :

☐ a. un gardien
☐ b. un condamné à mort
☐ c. un condamné aux galères

23. À quel chapitre du *Dernier Jour d'un condamné* le condamné apprend-il le refus de sa grâce ?

☐ a. au chapitre XXIX
☐ b. au chapitre XX
☐ c. au chapitre XVI

24. Qui habite « Caserne Popincourt, escalier A, n° 26, au fond du corridor » ?

☐ a. le condamné avant son arrestation
☐ b. un gendarme
☐ c. la mère du condamné
☐ d. le bourreau

25. « Son toit aigu et roide, son clocheton bizarre, son grand cadran blanc, ses étages à petites colonnes, ses mille croisées, ses escaliers usés par les pas, ses deux arches à droite » : de quel monument s'agit-il ?

☐ a. du Palais de Justice
☐ b. de Bicêtre
☐ c. de l'Hôtel de Ville
☐ d. de la Conciergerie

26. Citez les noms de deux condamnés à mort célèbres exécutés lors de la Révolution française et évoqués dans *Le Dernier Jour d'un condamné*.

....

....

POUR APPROFONDIR

Thèmes et prolongements

✣ Une forme originale

À sa parution en 1829, *Le Dernier Jour d'un condamné* est privé de sous-titre indiquant son genre puisqu'il se présente comme le manuscrit d'un condamné. En réalité, Hugo propose un roman d'une forme profondément originale, « sans modèle » dans des œuvres du passé, comme l'écrit lui-même Hugo dans la préface.

Un roman « à thèse »

Très vite après sa parution, le mystère qui entoure le récit de Hugo, que certains lecteurs ont pris pour un vrai journal, se dissipe : il s'agit d'une invention de l'auteur (même si l'origine du fac-similé apparemment authentique d'une chanson de condamné qui suit le récit reste mystérieuse). Ce récit très original appartient à ce que l'on nomme un roman à thèse : une œuvre engagée en faveur d'une cause particulière qu'elle cherche à défendre. *Le Dernier Jour d'un condamné* est au service du combat pour l'abolition de la peine de mort par le témoignage réaliste qu'elle propose sur la prison : Hugo nous dévoile une réalité dure mais cachée. Le roman suscite l'émotion du spectateur qui s'identifie au héros. Cette relation est favorisée par l'absence d'indications concrètes données au lecteur sur le passé du narrateur et par le fait que nous ne savons rien du crime qui justifie sa condamnation : rien ne fait obstacle à la sympathie du lecteur pour le personnage. Enfin, la préface renforce encore l'effet du roman en nous proposant des arguments contre la peine de mort.

Un faux journal intime

Ce roman s'écrit à la première personne et au présent du singulier, il a l'apparence d'un récit écrit sans préoccupation littéraire, rédigé au jour le jour. Ce journal intime est à la fois une confession (le narrateur se place dans une relation de totale sincérité à l'égard de son lecteur) et une autobiographie (le roman raconte de nombreux souvenirs du narrateur tels que ses amours d'enfance au chapitre XXXIII). Même s'il ne contient pas de dates, ce journal est rendu vraisemblable par Hugo, qui indique des lieux où il aurait été rédigé et qui insiste sur le quotidien du narrateur et la variété souvent désordonnée des pensées de celui-ci. Ainsi on peut considérer, comme Jean Rousset, que l'œuvre de Hugo est le premier journal fictif (c'est-à-dire imaginaire) de la littérature française : « le recours à la fiction d'un journal intime, du commencement à la fin d'un récit, est une première en France. »

Le « monologue intérieur »

Ce journal intime fictionnel permet de se plonger dans la psychologie d'un personnage : le lecteur peut observer les émotions et les pensées de celui-ci. Cette analyse psychologique nous donne à voir ses sensations et ses rêves : le journal nous donne à enregistrer presque automatiquement les émotions intérieures de celui qui parle et même ses hallucinations. On nomme cette forme de narration à la première personne, le monologue intérieur : c'est « une expression de la pensée la plus intime, la plus proche de l'inconscient » (E. Dujardin). Cette technique romanesque insiste sur la solitude du personnage et sert à montrer comment l'enfermement dans un cachot constitue aussi une véritable prison intérieure.

✣ Un roman contesté

À sa sortie, en 1829, l'œuvre fit scandale, à la fois sur le plan politique et sur le plan littéraire. Presque deux siècles après sa parution, l'œuvre de Hugo continue de susciter les passions.

Les réactions des contemporains

Si la réaction des milieux conservateurs était prévisible, nombre de critiques et d'écrivains reprochent à Hugo d'avoir mis la littérature au service d'un engagement politique. Rares sont ceux qui, comme Alfred de Vigny, témoignent leur admiration à Hugo. Le célèbre critique Jules Janin trouve ainsi « atroce » le réalisme de la peinture hugolienne de la vie en prison, « une agonie de trois cents pages ». Balzac, dans *Le Curé de campagne*, affirmera : « Le *Dernier Jour d'un condamné*, sombre élégie, inutile plaidoyer contre la peine de mort. » Blessé par la critique, Hugo répondra par une petite pièce de théâtre mise au début du roman, *Une comédie à propos d'une tragédie*, qui se moque des objections d'un « philosophe » et d'un « poète élégiaque » et défend le roman à la fois sur le plan littéraire et politique.

La poursuite d'un combat

Victor Hugo ne cessera pas, jusqu'à la toute fin de sa vie, de lutter contre la peine de mort par ses écrits. Dès 1834, le second roman, *Claude Gueux*, reprend le thème du *Dernier Jour d'un condamné* : il présente les réflexions d'un prisonnier condamné au gibet pour avoir volé pour nourrir sa famille. Le roman, d'une trentaine de pages, est d'une forme plus traditionnelle que *Le Dernier Jour d'un condamné*, mais il est intéressant parce qu'il insiste sur les explications sociales du crime, le rôle de l'instruction scolaire et de l'éducation religieuse. *Les Misérables*, en particulier à travers le personnage de *Jean Valjean*, reviendront ensuite longuement sur la question de la misère : c'est toute la société que le romancier remettra alors en question. Hugo poursuivra son combat en s'engageant en politique : il prononcera de nombreux plaidoyers en faveur de l'abolition de la peine de mort, dont un important discours devant l'Assemblée constituante de 1848 et consacrera une partie de sa vieillesse à défendre les révolutionnaires de la Commune (guerre civile en France, en 1871) passibles de la peine de mort ou de la déportation. Cette cause fera connaître l'écrivain partout dans le monde.

Les lectures modernes du roman

Le Dernier Jour d'un condamné deviendra l'une des œuvres les plus populaires de Hugo et sera traduit en de nombreuses langues, du vivant même de son auteur. Dostoïevski, qui a découvert Hugo durant son adolescence et a fait traduire en russe *Le Dernier Jour d'un condamné* par son frère, accordera une place déterminante au roman qui apparaît dans *Souvenirs de la maison des morts* (1862), dans *Crime et châtiment* (1866) et surtout dans *L'Idiot* (1868). Ce dernier roman rend, dans sa préface, un hommage appuyé au génie littéraire de Hugo et reprend une large partie du discours hugolien contre la peine de mort. En France, une œuvre du XXe siècle inspirée du *Dernier Jour d'un condamné* est restée célèbre : *L'Étranger* d'Albert Camus, dont la deuxième partie relate les réflexions d'un condamné à mort, Meursault, dans les jours qui précèdent son exécution. Le roman de Camus utilise la même forme que celle du *Dernier Jour d'un condamné* : le monologue intérieur.

✣ La peinture du monde des prisons

Dans sa jeunesse, le jeune Hugo a été traumatisé par la vision du supplice d'une femme marquée au fer rouge et par le terrible spectacle du ferrement de bagnards (que l'on retrouve au chapitre XIII). En 1832, il a été frappé par l'exécution d'Ulbach, meurtrier passionnel ; de plus, il a eu, à la même époque, l'occasion de visiter des prisons : le roman se nourrit d'une observation précise et réaliste du monde carcéral.

L'importance des documents

De même que nous sommes parfois étonnés de la manière très directe dont Hugo présente les émotions les plus intimes de son héros, nous ne pouvons qu'être frappés par le réalisme de sa peinture de la vie en prison : la taille exacte de la cellule (« huit pieds carrés »), l'usage de « lit de sangle » pour le transport du condamné, le « grincement rauque des verrous », etc. Hugo utilise à la fois des détails qu'il a observés et notés et des informations qu'il a tirées de témoignages réels pour nous replonger dans le monde des prisons et en montrer l'horreur. Le réalisme est à la fois visuel, sonore et sensitif. Les abondantes citations du vocabulaire argotique accentuent cette impression de vérité. La prison du *Dernier Jour d'un condamné* est bien celle des années 1830.

La dimension fantastique

Pourtant, Hugo est loin de s'arrêter à l'observation réaliste. Il cherche à donner leur force aux terribles aspects de l'univers qu'il dépeint pour frapper l'imagination du lecteur. Habilement, il utilise le récit à la première personne pour transformer le réel. Vus par le narrateur, les prisonniers ressemblent par exemple à des « âmes en peine aux soupiraux du purgatoire qui donnent sur l'enfer » (XIII). La prison se transforme en un « un être horrible, complet, indivisible, moitié maison, moitié homme » (chapitre XX). Le rêve du narrateur au chapitre XLII en est une autre illustration : bien des passages du roman touchent au fantastique en alliant au réel une dimension surnaturelle.

Le pathétique

Dans un roman consacré à la douleur d'un homme sur le point de mourir en laissant une fille orpheline, le registre dominant est naturellement le pathétique, qui exprime la souffrance. Le récit prend la véritable dimension d'un cri de douleur, dès la première ligne du roman : « condamné à mort ! » La présence du pathétique n'est cependant pas directe à cause de l'absence de commentaire et de jugement de Hugo dans le récit à la première personne. En outre, le roman s'achève avant l'exécution du narrateur, que le lecteur ne peut qu'imaginer. Mais, si elle est indirecte, l'expression de la souffrance n'en est pas moins forte, tant les situations vécues par le personnage sont graves, comme cette terrible rencontre du prisonnier et de sa fille Marie.

Le tragique

Le registre tragique se différencie du registre pathétique par la présence de l'idée de fatalité qui confronte l'homme impuissant à des forces surhumaines et le conduit inéluctablement à la catastrophe finale. Bien que la guillotine soit un châtiment humain, la peine de mort possède dans le roman de Hugo la dimension d'une tragédie. Ce mot est d'ailleurs employé dans la deuxième préface qui fut donné au roman *Une comédie à propos d'une tragédie*. La peine capitale reflète le problème général de la mort : la condamnation à l'échafaud est une sorte d'image de la condition humaine.

Un narrateur solitaire et énigmatique

Hugo veut « plaider la cause d'un condamné quelconque, exécuté un jour quelconque, pour un crime quelconque » (Préface). Il ne nous dit rien sur le nom de son narrateur ni sur son crime, en faisant disparaître habilement le chapitre qui aurait dû contenir le récit que le narrateur a rédigé pour sa fille (chapitre XLVII, « Mon Histoire »). Mais le lecteur peut établir un portrait du héros à partir des informations qu'il recueille tout au long du récit.

Un jeune homme sensible et cultivé

Le chapitre I nous donne quelques informations sur le narrateur. Il est « raffiné par l'éducation » (chapitre I), il parle latin, a lu Shakespeare et a fréquenté le théâtre (chapitre XVI). Il est si différent des autres prisonniers qu'il est traité de « marquis » par le « friauche » au chapitre XXIII. C'est un amoureux passionné et un père tendre, qui « baisait le cou blanc et parfumé » de sa fille. Par esprit de sacrifice, il accepte de disparaître de la mémoire de sa fille en ne la détrompant pas alors qu'elle le croit déjà mort (chapitre XLIII). Par bien des aspects, sa sensibilité fait de lui un poète ressemblant de manière troublante à Victor Hugo lui-même.

Un crime mystérieux

Le fait que le narrateur soit sympathique rend incompréhensible le crime qu'il a commis, crime dont nous savons simplement qu'il s'agit d'un meurtre. Celui qui a été tué est simplement évoqué comme une sorte de double du condamné qui va mourir, c'est « l'autre » (chapitre XXXIV), Hugo privant le lecteur de tout élément d'interprétation et le condamné lui-même s'étonne à plusieurs reprises de son propre sort, par exemple au chapitre XXVI ou au chapitre XXXIV où il en vient à se demander « est-il bien vrai que je vais mourir avant la fin du jour ? Est-il bien vrai que c'est moi ? »). Ce tempérament sensible et affectif du condamné rend en tout cas aisément visible sa transformation par la prison : « la mort rend méchant » (chapitre XXIV), elle prive le prisonnier de toute morale (« J'avais plus de remords avant ma condamnation », constate le narrateur au chapitre XXXIV). La prison rend le narrateur violent et injuste (« mon souffle de condamné gâte et flétrit tout », dit-il au chapitre XXX) et le conduit à s'autodétruire psychologiquement avant d'être exécuté réellement : « Je suis bon pour ce qu'ils vont faire », convient-il au chapitre XLIII, après avoir rencontré sa fille.

La famille du prisonnier

« Elle est fraîche, elle est rose, elle a de grands yeux, elle est belle », admire le narrateur au chapitre XLIII : Marie, la fille du condamné, qui apparaît à la fin du roman pour une dernière visite et dans les rêves du narrateur est l'un des rares personnages féminins du roman. Avec Pepita, amour de jeunesse du condamné (chapitre XXXIII), elle est aussi un des seuls personnages à posséder un prénom. Mais sa présence n'apporte que souffrances au narrateur. Par opposition, la femme du prisonnier est absente et sa mère malade. Toutes les deux semblent condamnées à mort avec le héros : « pauvre vieille mère [...] à soixante-quatre ans, elle mourra du coup » et « ma femme est déjà d'une mauvaise santé et d'un esprit faible, elle mourra aussi. À moins qu'elle ne devienne folle ». Pas plus que les femmes, le milieu des autres prisonniers n'apporte de soutien au narrateur. Ainsi, le condamné du roman de Hugo est muré dans une solitude atroce que rien ne vient apaiser.

Textes et images

✥ La condition du prisonnier

La prison remplit deux fonctions très différentes selon que le prisonnier attend son exécution (comme dans le *Dernier Jour d'un condamné*) ou son procès, ou que la privation de liberté constitue une peine à part entière. On a beaucoup réfléchi sur le rôle de la prison, lieu de punition ou lieu d'amendement et d'amélioration morale des détenus et les conditions d'incarcération ont beaucoup évolué entre le XVIIIe et le XXIe siècle.

Documents :

❶ Casanova, *Histoire de ma fuite des prisons de la République de Venise qu'on appelle les Plombs* (1788), Paris, Allia, 2004, pp. 27-29.

❷ Edmond de Goncourt, *La Fille Élisa* (1877), chapitre LV, Paris, Zulma, pp. 138-140.

❸ Marcel Aymé, *Uranus*, *Œuvres romanesques*, Paris, Gallimard, « Bibliothèque de la Pléiade », t. III, 2001, pp. 1186-1187.

❹ Célestin Nanteuil, Projet de frontispice pour l'édition Renduel.

❺ Une cellule ordinaire à la prison de Mazas à Paris.

❶ Étonné, j'ai appuyé mes coudes sur la hauteur d'appui de la grille : elle avait deux pieds en tous sens, croisée par six barreaux de fer d'un pouce de diamètre, qui formaient seize trous carrés de cinq pouces. Elle aurait rendu le cachot assez clair si une poutre quadrangulaire maîtresse d'œuvre du comble, qui avait un pied et demi de large, et qui entrait dans le mur au-dessus de la lucarne, que j'avais obliquement vis-à-vis, n'eût pas intercepté la lumière qui entrait dans le galetas. J'ai fait le tour de mon affreuse prison qui n'avait que cinq pieds et demi de hauteur en tenant ma tête inclinée. J'ai trouvé quasi à tâtons qu'elle formait les trois quarts d'un carré de

deux toises. Le quart contigu à celui qui lui manquait était positivement une alcôve capable de contenir un lit ; mais je n'ai trouvé ni lit, ni siège, ni table, ni meuble d'aucune espèce, excepté un baquet pour les besoins naturels, et un dais assuré au mur, large d'un pied, et élevé du plancher de quatre. J'ai placé là mon beau manteau de soie, et mon joli habit mal étrenné, avec mon chapeau bordé d'un point d'Espagne, et d'un plumet blanc. La chaleur était extrême. Triste et rêveur la nature m'a porté au seul lieu où je pouvais me reposer sur mes coudes ; je ne pouvais pas voir la lucarne; mais je voyais la lumière, qui éclairait le galetas et des rats gros comme des lapins qui se promenaient. Ces hideux animaux dont j'abhorrais la vue venaient jusque sous ma grille sans nulle marque de frayeur. J'ai vite enfermé le trou de la porte avec un volet intérieur ; leur visite m'aurait glacé le sang. Je suis tombé dans la rêverie la plus profonde, mes bras toujours croisés sur la hauteur d'appui, où j'ai passé huit heures immobile, dans le silence, et sans jamais bouger.
J'ai entendu sonner vingt-une [vingt et une] heure, j'ai commencé à m'inquiéter de ce que je ne voyais paraître personne, de ce qu'on ne venait pas voir si je voulais manger, de ce qu'on ne me portait pas un lit, une chaise, et au moins du pain et de l'eau. Je n'avais pas d'appétit, mais il me semblait qu'on ne devait pas le savoir. Jamais de ma vie je n'avais eu la bouche si amère. Je me tenais cependant pour sûr que vers la fin du jour quelqu'un paraîtrait, mais lorsque j'ai entendu sonner les vingt-quatre heures je suis devenu comme un forcené hurlant, frappant des pieds, pestant et accompagnant de hauts cris tout le vain tapage que mon étrange situation m'excitait à faire. Après plus d'une heure de ce furieux exercice ne voyant personne, n'entendant pas moi-même le moindre indice, qui m'aurait fait imaginer que quelqu'un pût avoir entendu mes fureurs, enveloppé de ténèbres j'ai fermé la grille, craignant que les rats ne sautassent dans le cachot. Je me suis jeté étendu sur le plancher avec mes cheveux enveloppés dans un mouchoir. Un pareil impitoyable abandon ne me paraissait pas vraisemblable quand même on eut décidé de me faire mourir. L'examen de ce que je pouvais avoir fait

pour mériter un traitement si cruel ne pouvait durer qu'un moment, car je ne trouvais pas matière pour m'arrêter.

2 Le carreau du réfectoire encore un peu humide du lavage du matin luisait rouge, et la lumière aigre d'une froide journée de printemps jouait crûment sur l'ocre frais des murailles et le blanc de chaux du plafond, tout récemment repeint. C'était jusqu'au fond de la salle éclairée, en écharpe, par de très grandes fenêtres, une double rangée de tables étroites, dans la menuiserie desquelles entraient, se confondaient, deux bancs très bas pouvant contenir chacun cinq détenues.
Sur les tables, on voyait posées dix écuelles de terre vernissée d'où s'échappait une vapeur tournoyante. Au milieu s'élevait la cruche pansue des intérieurs laborieux et pauvres de Chardin[1] [...]. Ça et là, brillaient, à un certain nombre de places, de petits ronds de fer-blanc avec un numéro au milieu. Ces ronds de fer-blanc étaient les bons de cantine, les bons qui permettaient à ces femmes nourries seulement de légumes toute la semaine et ne mangeant de la viande qu'une seule fois le dimanche, leur permettaient, sur l'argent de leur pécule, d'ajouter à leur ordinaire, les mangeailles figurant sur un tableau accroché au fond du réfectoire.
Ce tableau portait :
Beurre frais.................... 10 c
Lait......................................
Fromage de Dumeux............
Gruyère.................................
Hollande...............................
Bondon ....
Réglisse................................
Gomme.................................
Hareng saur..........................
Ragoût de mouton .... 20 c

1. Chardin est un artiste du XVIIIe siècle qui a peint des scènes de la vie quotidienne.

Composition du ragoût
Viande
Pommes de terres épluchées
Carottes
Navets
Oignons
Graisse
Farine
Sel et poivre nécessaire

Au coup de neuf heures, les femmes, annoncées d'avance par le claquement de leurs sabots dans les escaliers, firent leur entrée tumultueusement dans une bousculade, qui se pressait et se hâtait vers la nourriture avec la bruyance de mâchoires mâchant à vide.
Dix par dix, elles allèrent se placer à des tables qui avaient, placardés à leur tête, les numéros d'écrous et les noms des attablées.
Dans la confusion de la prise de possession des places et l'enjambement des bancs, la sœur vit la main crochue d'Élisa retirer le bon de cantine d'une voisine, le placer devant elle.
– Gourmande, dit la sœur, je vous ai vue et je crois que ce n'est pas la première fois. Vous êtes notée... je vous surveillerai dorénavant.
La main d'Élisa, avec la mauvaise humeur d'une main d'enfant obligée de lâcher une chose chipée, repoussa le numéro de cantine devant sa voisine.

3 (Des prisonniers, coupables de crimes variés [un pédophile, un assassin, un policier coupable de collaboration avec la Gestapo...] cohabitent en prison à Blémont, peu après la guerre ; certains sont transférés ailleurs, d'autres restent là.)

Dans la cour de la prison, il faisait jour encore, mais la clarté déclinante franchissait à peine les barreaux, et la cellule était déjà sombre. Les détenus avaient étendu les paillasses sur les dalles qu'elles recouvraient presque entièrement. En attendant la nuit et le sommeil, ils devisaient, les uns allongés, les autres assis à la turque ou

accoudés à la romaine. Le satyre, qui souffrait d'un furoncle à la fesse, se déculottait près de la fenêtre, profitant du reste de jour pour solliciter un avis du docteur. La vue de son derrière arrondi et tendu au plus haut fut accueillie par des plaisanteries [...]. Buffat, le poulet, qui prisait peu ces dépravations de langage, se leva de sa paillasse et, après avoir pissé un peu à l'aveuglette dans le trou des latrines, alla se coller contre la porte de la cellule pour prêter l'oreille aux mugissements intermittents de Léopold qu'un gardien était venu chercher vers 6 heures du soir afin de l'emmener au poste d'aiguillage. On appelait ainsi une petite cellule du bout du couloir où l'on enfermait pour quelques heures les prisonniers à transférer au chef-lieu ou dans telle ville où la justice les réclamait. Au début de la semaine, l'assassin y avait passé une partie de la nuit avant de prendre le train pour Paris. Son départ avait d'ailleurs laissé à ses compagnons plus de regrets que celui du cafetier.
Alléguant son ignorance, le gardien s'était dérobé aux questions, mais Léopold ne doutait pas d'être transféré au chef-lieu et d'y être détenu durant plusieurs mois, car il lui paraissait bien improbable qu'on lui fît faire le voyage pour le lâcher au bout de quelques jours ou même d'une quinzaine. La perspective d'être ainsi arraché à Blémont pour aller moisir, oublié, dans une prison lointaine, l'emplissait d'une rage meurtrière. Depuis que le gardien l'avait bouclé au poste d'aiguillage, il invectivait contre les puissances conjurées pour sa perte, scandant ses malédictions et ses injures de coups de pied dans la porte et même de coups de tabouret, ne suspendant ses gueulées que pour prendre haleine ou refaire sa salive, tant il était moulu, harassé, toutes les veines du cou, de la face et du crâne gonflées d'un sang noir, la cervelle en ébullition, l'apoplexie à deux doigts.

4

Textes et images

5

✣ Étude des textes

Savoir lire

1. Comparez les relations entre les détenus dans le texte d'Edmond de Goncourt et dans celui de Marcel Aymé : quelles sont les différences ?

2. Expliquez la colère des détenus dans les textes 1 et 3.
3. Selon vous, pourquoi Élisa vole-t-elle le bon de cantine de sa voisine ? Que montre cet épisode ?
4. La prison de Casanova est infestée de rats. Comparez ce détail à un épisode du *Dernier Jour d'un condamné*.

Savoir faire

5. Rédigez le dialogue entre Élisa et le directeur de la prison qui l'a convoquée à la suite de son larcin.
6. Comme l'indique le titre du livre de Casanova, l'auteur réussit à s'évader de sa prison : imaginez l'épisode de l'évasion.
7. Exposé : les conditions d'incarcération des femmes à la fin du XIXe siècle.

✣ Étude des images

Savoir analyser

1. Quelle est la fonction respective de ces images ? Dites ce que chacune d'elles cherche à mettre en évidence.
2. Comment trouvez-vous la cellule représentée dans le document 5 ? Selon vous, quel message l'auteur de l'image a-t-il voulu faire passer ?
3. Observez le document 4 : quelle est la relation entre les vignettes centrales et les images qui l'entourent ?
4. Tout en haut de la gravure de Célestin Nanteuil (document 4), des personnages siègent devant une grande table : de qui s'agit-il ? Pourquoi l'auteur de l'image a-t-il choisi de les placer tout en haut de l'image ? Connaissez-vous des images construites de cette manière ?

Savoir faire

5. Document 5 : le directeur de la prison présente une cellule à des journalistes : imaginez ce qu'il leur dit.
6. Si vous étiez chargé de dessiner un frontispice pour *Le Dernier Jour d'un condamné*, que choisiriez-vous de représenter ? Décrivez l'illustration que vous imaginez et justifiez votre choix.
7. Exposé : la prison de Mazas.

✥ La mise en scène de l'exécution

Depuis la Révolution, les condamnés à mort sont guillotinés. Ce mode d'exécution mécanique, que son promoteur, Guillotin, justifiait par des raisons humanitaires en insistant sur sa rapidité, reste cependant impressionnant. Tout au long du XIXe siècle, les exécutions, précédées par le transport du condamné, sont publiques et constituent un véritable spectacle dont la guillotine (qu'on surnommait « la Veuve ») est un personnage à part entière.

Documents :

1. Michelet, *Histoire de la Révolution française* (1847-1853), livre XVII, chapitre VII, Paris, Laffont, « Bouquins », t. II, p. 754.
2. Adèle Hugo, *Victor Hugo raconté par un témoin de sa vie*, Paris, Librairie internationale, pp. 221-222.
3. Albert Camus, *L'Étranger* (1942), in *Œuvres*, Paris, Gallimard, « Bibliothèque de la Pléiade », t. I, p. 206.
4. Dessin de Louis Boulanger, *La Charrette du condamné.*
5. Victor Hugo, « Le pendu (Ecce Lex) », 1854. Plume et lavis d'encre brune, crayon et fusain sur papier vergé.
6. Guillotine.
7. Exécution à la guillotine, 1789-1799. Estampe.

1 (Michelet, historien de la Révolution française, raconte l'exécution, sur l'ordre de Robespierre, de Danton et de ses amis Hérault de Séchelles, Camille Desmoulins et Basire, coupables d'avoir réclamé la fin de la Terreur).

Quand on arriva, rue Saint-Honoré, devant la maison de Robespierre, fermée, portes et fenêtres, muette comme le tombeau, le prétendu peuple qui suivait, redoubla ses cris frénétiques, clameur de lâche abdication, sinistre salut à César au nom de la guillotine.

Desmoulins, calmé à l'instant, se rassit et dit froidement : « Cette maison disparaîtra... » En vain on la cherche aujourd'hui, enveloppée qu'elle est de murs immenses, recluse dans une ombre éternelle. On assure que Robespierre, enfermé chez lui, pâlit à ces cris sauvages, et sentit au cœur le mot de Danton : « J'entraîne Robespierre, Robespierre me suit ! »
Hérault de Séchelles, Camille et Basire, ce touchant faisceau d'amis, se tenaient de cœur ensemble et dans leur amour pour Danton. Il avait été, pour eux, l'énergie sublime, la vie de la Révolution, le cœur de la République, et elle mourait en lui. Ils ne la laissaient pas derrière eux ; ils l'emportaient dans la tombe. Grande consolation de mourir avec l'idéal qu'on eut ici-bas.
Hérault descendit le premier, et d'un mouvement aimable et tendre, se tourna pour embrasser Danton. Le bourreau les sépara : « Imbécile ! dit Danton, tu n'empêcheras pas nos têtes de se baiser dans le panier. »
Camille regardait le couteau ruisselant de sang : « Digne récompense, dit-il, du premier apôtre de la liberté. »
Il se sépara alors d'une boucle de cheveux qu'il tenait entre ses doigts, et pria le bourreau de rendre à la mère de Lucile ce gage suprême d'amour.
Danton mourut simplement, royalement. Il regarda en pitié le peuple à droite et à gauche, et parlant à l'exécuteur avec autorité, lui dit : « Tu montreras ma tête au peuple ; elle en vaut la peine. »
L'exécuteur obéissant la releva en effet, la promena sur l'échafaud, la montra des quatre côtés. Il y eut un moment de silence... Chacun ne respirait plus... Puis, par-dessus la voix grêle de la petite bande payée, un cri énorme s'éleva, et profondément arraché...
Cri confus des royalistes soulagés et délivrés, simulant l'applaudissement : « Qu'ainsi vive la République ! »
Cri sincère et désespéré des patriotes atteints au cœur : « Ils ont décapité la France ! »

❷ (En 1851, le fils de Victor Hugo est traduit en justice pour avoir protesté contre une exécution dont le déroulement avait été particulièrement affreux. À cette occasion, Hugo demande à paraître à la barre pour le défendre et raconte ainsi l'exécution.)

Quoi ! un homme, un condamné, un misérable homme est traîné un matin sur une de nos places publiques. Là il trouve l'échafaud. Il se révolte, il se débat, il refuse de mourir. Il est tout jeune encore, il a vingt-neuf ans à peine... – Mon Dieu ! je sais bien qu'on va me dire : « C'est un assassin ! » Mais écoutez ! – ... Deux exécuteurs le saisissent, il a les mains liées, les pieds liés, il repousse les deux exécuteurs. Une lutte affreuse s'engage. Le condamné embarrasse ses deux pieds dans l'échelle patibulaire, il se sert de l'échafaud contre l'échafaud. La lutte se prolonge. L'horreur parcourt la foule. Les exécuteurs, la sueur et la honte au front, pâles, haletants, terrifiés, désespérés, – désespérés de je ne sais quel horrible désespoir – courbés sous cette réprobation publique qui devrait se borner à condamner la peine de mort et qui a tort d'écraser l'instrument passif, le bourreau, – les exécuteurs font des efforts sauvages. Il faut que force reste à la loi, c'est la maxime. L'homme se cramponne à l'échafaud et demande grâce, ses vêtements sont arrachés, ses épaules nues sont en sang. Il résiste toujours. Enfin, après trois quarts d'heure [...] de cet effort monstrueux, de ce spectacle sans nom, de cette agonie, – agonie pour tout le monde, entendez-vous bien ! – agonie pour le peuple qui est là autant que pour le condamné, – après ce siècle d'angoisse, messieurs les jurés ! on ramène le misérable en prison. Le peuple respire, le peuple qui a des préjugés de vieille humanité et qui est clément parce qu'il se sent souverain, le peuple croit l'homme épargné. Point. La guillotine est vaincue, mais elle reste debout. Elle reste debout tout le jour, au milieu d'une population consternée. Et, le soir, on reprend un renfort de bourreaux, on garrotte l'homme de telle sorte qu'il ne soit plus qu'une chose inerte, et, à la nuit tombante, on le rapporte sur la place publique, pleurant, hurlant, hagard, tout ensanglanté, demandant la vie, appelant Dieu, appelant son père et sa mère, car devant la mort cet homme était redevenu un enfant. On le hisse sur l'échafaud, et sa tête tombe !

❸ Car en réfléchissant bien, en considérant les choses avec calme, je constatai que ce qui était défectueux avec le couperet, c'est qu'il n'y avait aucune chance, absolument aucune. Une fois pour toutes, en somme, la mort du patient avait été décidée. C'était une affaire classée, une combinaison bien arrêtée, un accord entendu et sur lequel il n'était pas question de revenir. Si le coup ratait, par extraordinaire, on recommençait. Par suite, ce qu'il y avait d'ennuyeux, c'est qu'il fallait que le condamné souhaitât le bon fonctionnement de la machine. Je dis que c'est le côté défectueux. Cela est vrai, dans un sens. Mais, dans un autre sens, j'étais obligé de reconnaître que tout le secret d'une bonne organisation était là. En somme, le condamné était obligé de collaborer moralement. C'était son intérêt que tout marchât sans accroc.
J'étais obligé de constater aussi que jusqu'ici j'avais eu sur ces questions des idées qui n'étaient pas justes. J'ai cru longtemps – et je ne sais pas pourquoi – que pour aller à la guillotine, il fallait monter sur un échafaud, gravir des marches. Je crois que c'était à cause de la Révolution de 1789, je veux dire à cause de tout ce qu'on m'avait appris ou fait voir sur ces questions. Mais un matin, je me suis souvenu d'une photographie publiée par les journaux à l'occasion d'une exécution retentissante. En réalité, la machine était posée à même le sol, le plus simplement du monde. Elle était beaucoup plus étroite que je ne le pensais. C'était assez drôle que je ne m'en fusse pas avisé plus tôt. Cette machine sur le cliché m'avait frappé par son aspect d'ouvrage de précision, fini et étincelant. On se fait toujours des idées exagérées de ce qu'on ne connaît pas. Je devais constater au contraire que tout était simple : la machine est au même niveau que l'homme qui marche vers elle. Il la rejoint comme on marche à la rencontre d'une personne. Cela aussi était ennuyeux. La montée vers l'échafaud, l'ascension en plein ciel, l'imagination pouvait s'y raccrocher. Tandis que là encore, la mécanique écrasait tout : on était tué discrètement, avec un peu de honte et beaucoup de précision.

4

5

6

LE POIGNARD DES PATRIOTES EST LA HACHE DE LA LOI.

J. B. Louvion Sculp.

7

✣ Étude des textes

Savoir lire

1. À quel genre littéraire appartient chacun des trois textes ? En quoi cela change-t-il le regard porté sur l'exécution ?
2. Quelle est la différence entre le comportement des condamnés dans le texte de Michelet et dans celui de Hugo et de Camus ?
3. Comparez les conditions de l'exécution dans le texte de Camus et dans le texte de Hugo. En quoi s'opposent-elles ?
4. Document 3. Examinez le premier paragraphe : relevez et analysez les marques d'humour que Camus introduit dans le discours de son personnage.

Savoir faire

5. Document 2. Résumez le texte en ne rapportant que les faits objectifs, comme pourrait le faire un greffier.

6. Qu'adviendra-t-il de Robespierre après l'exécution de Danton ? La prophétie de ce dernier se réalisera-t-elle ?
7. Charles Hugo avait écrit un article pour protester contre cette exécution : quels arguments a-t-il pu employer ?

Étude des images

Savoir analyser

1. Comparez la présence humaine dans les quatre images.
2. Que signifie la légende latine « Ecce Lex » (document 5) ? Trouvez une autre expression connue commençant par « Ecce », cherchez à qui elle se rapporte et dites en quoi cette superposition est significative.
3. Document 7. Trois moments sont représentés sur cette image. Identifiez-les en précisant dans quel sens l'image doit être lue.
4. En quoi les documents 6 et 7 confirment-elles l'analyse du narrateur du texte de Camus : « on était tué discrètement, avec un peu de honte et beaucoup de précision » ?

Savoir faire

5. En hiérarchisant votre propos, décrivez rapidement le document 4 de manière à rendre compte de sa composition.
6. Exercice rédactionnel : quelqu'un, au cours d'une promenade nocturne, aperçoit un gibet semblable à celui qui est représenté dans le dessin de Hugo. Imaginez dans quelles circonstances et rendez compte de ses sentiments.
7. Proposez une légende totalement différente pour le document 6.
8. Dans le dessin de Louis Boulanger (document 4), en bas à droite, deux femmes discutent. Imaginez leur conversation.

Vers le brevet

Sujet 1 : chapitre XVII, p. 94 à 95

Le narrateur, enfermé à la prison de Bicêtre (où se trouvait jadis également un asile), attend qu'on lui annonce le moment de son exécution. Il rêve de s'évader.

Questions

I - La situation

1. Qui parle dans ce passage ? À qui ?
2. Avons-nous l'impression de lire un roman ? Sinon, pourquoi ?
3. Dans quelle situation se trouve le narrateur ? Quel est le ton de ce passage ?
4. Comment comprenons-nous la souffrance et les émotions du narrateur ?
5. Relevez les verbes au conditionnel et justifiez l'usage de ce temps.
6. Comment progresse le récit ? Essayez d'en faire le plan.
7. Quels souvenirs d'enfance évoque le narrateur ? Pourquoi ?

II - Le rêve d'évasion

1. À quoi se réfère le mot « cela » (« Cela fait regarder et soupçonner », l. 2) ?
2. « Comme je courrais » (l. 1) : à quel forme est le verbe courir ?
3. Que signifie le mot « maraîcher » ?
4. Quel signe typographique exprime la rage du personnage ?
5. Qui est le « malheureux rêveur » (l. 14) ? Le narrateur croit-il selon vous réellement à la possibilité d'une évasion ?
6. À quels temps et à quels modes sont les verbes « j'arrive » (l. 12) et le verbe « demande » ? (l. 13) Pourquoi ?
7. La dernière phrase est-elle achevée ? Pourquoi ?

Réécriture

Vous réécrirez l'évasion dont rêve le condamné comme si elle avait vraiment pu avoir lieu, en imaginant donc qu'il ait réellement pu rejoindre l'Angleterre. Le récit reprendra tous les détails donnés par le prisonnier et sera transposé au passé.

Dictée

« C'était une soirée d'automne tiède et doucement voilée ; nous remarquions la sonorité de l'air dans cette saison et ce je ne sais quoi de mystérieux qui règne alors dans la nature. On dirait qu'à l'approche du lourd sommeil de l'hiver chaque être et chaque chose s'arrangent furtivement pour jouir d'un reste de vie et d'animation avant l'engourdissement fatal de la gelée : et, comme s'ils voulaient tromper la marche du temps, comme s'ils craignaient d'être surpris et interrompus dans les derniers ébats de leur fête, les êtres et les choses de la nature procèdent sans bruit et sans activité apparente à leurs ivresses nocturnes. Les oiseaux font entendre des cris étouffés au lieu des joyeuses fanfares de l'été. L'insecte des sillons laisse échapper parfois une exclamation indiscrète ; mais tout aussitôt il s'interrompt, et va rapidement porter son chant ou sa plainte à un autre point de rappel. » (George Sand, *François le Champi*.)

Rédaction

Vous racontez, dans votre journal intime, un projet de voyage. Vous ferez alterner l'expression des sentiments à l'origine de votre désir de voyage et la description des lieux que vous aimeriez visiter (ou des personnes que vous aimeriez rencontrer).
Il sera tenu compte, dans l'évaluation, de la présentation, de la correction de la langue et de l'orthographe.

Petite méthode pour la rédaction

La représentation des pensées et des sentiments :

Il existe plusieurs manières de représenter les pensées d'un personnage : d'un point de vue extérieur, un narrateur peut les décrire comme s'il pouvait entrer dans l'esprit de son personnage ou, au contraire, décrire les actions et les paroles d'un personnage en nous laissant en deviner les motifs.

Mais un personnage peut lui aussi analyser ses propres pensées de l'intérieur lorsqu'il s'exprime à la première personne, ou nous laisser voir ses émotions.

Les valeurs du présent :

Le présent sert à décrire des événements ou des actions qui se déroulent au moment même où le locuteur s'exprime.
Le présent peut aussi évoquer des vérités générales, vraies en tous temps et en tous lieux (par exemple : « le rire est le propre de l'homme »). Dans certains cas, le présent peut être utilisé pour rendre un récit plus vif et animé, qu'il s'agisse d'un récit passé (ce présent est alors appelé : « présent de narration ») ou futur (c'est le cas dans ce passage du roman de Hugo).

Sujet 2 : chapitre XXXIX, p. 130

chapitre XXXIX, p. 130

Questions

I - La guillotine

1. Qui est « ils » dans la première phrase ? Relevez toutes les expressions de la troisième personne du pluriel qui reprennent ce « ils ».
2. À quoi se réfère « cette façon » dans la phrase « la mort de cette façon » (l. 2) ? Pourquoi le narrateur ne donne pas plus de précisions ?
3. Relevez toutes les précisions données par le condamné et se référant aux circonstances concrètes de son exécution et au fonctionnement technique de la guillotine.

II - L'ironie

1. « Une tête [...] ait crié au peuple » (l. 11-12) : le narrateur prend-il au sérieux cette hypothèse ?
2. « C'est bien inventé » (l. 14) : que pense, au fond de lui-même, le condamné de cette invention ? Pourquoi semble-t-il faire l'éloge de l'instrument de mort ?
3. « Est-ce Robespierre ? Est-ce Louis XVI ?... » (l. 16) : pourquoi le condamné cite-t-il les noms de ces deux personnages historiques ? Quel rôle leur attribue-t-il ?
4. « Escamotée » (l. 21) : quelle est la signification de ce mot ?

III - La peur

1. « Que le sang s'épuise goutte à goutte, ou que l'intelligence s'éteigne pensée à pensée » (l. 8-9) : quelles sont les deux formes de mort que le narrateur compare ? Quel est l'effet produit ?
2. « La chose » : quelle est cette « chose » (l. 18) ? Pourquoi le narrateur emploie-t-il cette formule indirecte et floue ?

3. Quels signes de ponctuation viennent exprimer l'angoisse du condamné ? Quels autres moyens d'expression Hugo emploie-t-il pour montrer l'état d'angoisse du prisonnier ?

Réécriture

Vous réécrirez le début du passage sous la forme d'une adresse directe au bourreau, en passant donc de la troisième à la deuxième personne du pluriel.

Dictée

« Comme si c'était d'hier, je me rappelle le soir où, marchant déjà depuis quelque temps, je découvris tout à coup la vraie manière de sauter et de courir, et me grisai jusqu'à tomber, de cette chose délicieusement nouvelle.
Ce devait être au commencement de mon second hiver, à l'heure triste où la nuit vient. Dans la salle à manger de ma maison familiale – qui me paraissait alors un lieu immense – j'étais, depuis un moment sans doute, engourdi et tranquille sous l'influence de l'obscurité envahissante. Pas encore de lampe allumée nulle part. Mais, l'heure du dîner approchant, une bonne vint, qui jeta dans la cheminée, pour ranimer les bûches endormies, une brassée de menu bois. » (Pierre Loti, *Le Roman d'un enfant*.)

Rédaction

Vous décrirez une scène vécue et vous ayant, pour une raison ou pour une autre, indigné(e). Vous alternerez la peinture de cet événement et l'analyse des raisons pour lesquelles vous avez été choqué(e) et revolté(e).
Il sera tenu compte, dans l'évaluation, de la présentation, de la correction de la langue et de l'orthographe.

Petite méthode pour la rédaction

Le registre ironique : **l'ironie** est une figure de style (c'est-à-dire une manière particulière d'écrire) consistant à laisser entendre le contraire de ce que l'on affirme en apparence. En employant l'ironie, l'écrivain vise à utiliser **l'humour** pour dénoncer tel ou tel problème, qu'il serait trop difficile ou dangereux d'affronter de manière ouverte, explicitement. L'ironie repose sur **une connivence**, une complicité entre l'écrivain et le lecteur, qui devine ce que l'écrivain veut vraiment exprimer sous la surface de ce qu'il fait semblant de dire.

✣ Autres sujets d'entraînement

Sujet 1 : chapitre VIII, p. 73 à 74

1. « Comptons ce qui me reste » (l. 1) : à quel temps est le verbe « compter » ? Pourquoi ? À qui s'adresse le narrateur ?
2. « Trois jours de délai après ... » (l. 2) : cette phrase a-t-elle un verbe ? Donnez d'autres exemples dans le texte de phrase du même type.
3. Qu'est-ce qu'un « passe-droit » (l. 12) ? Donnez d'autres exemples de mots composés formés avec la même racine.

Sujet 2 : chapitre XII, du début jusqu'à « sur la tête », p. 78

1. « Ma paille » (l. 1) : que désigne ici le condamné ? Donnez d'autres exemples de détails permettant au lecteur de se représenter les conditions de vie en prison.
2. Expliquez le nom commun « effroi » (l. 2) et trouvez des mots équivalents.
3. Quelle est la valeur du point d'exclamation qui conclut le texte ? Quels sentiments suscite chez le lecteur la liste des condamnés ?

Sujet 3 : chapitre XV, p. 89 à 90

1. « Malheureusement je n'étais pas malade » (l. 1) : pourquoi le condamné regrette-t-il de ne pas être malade ? Comment appelle-t-on une telle manière de parler ?
2. « Il fallut » (l. 1) : à quoi renvoie le « il » ? À quels temps et mode est le verbe « falloir » ? Expliquez ce que veut dire ici le condamné. Pourquoi le condamné emploie-t-il une telle tournure ?
3. Quelle est cette « maladie faite de la main des hommes » (l. 7-8) ? Pourquoi le condamné s'exprime-t-il de manière si détournée ?

Outils de lecture

Antithèse : opposition de deux mots ou de deux idées.

Argot : langage particulier à un groupe ou à une société (par exemple : l'argot des bagnards).

Argumentatif (discours) : discours visant à convaincre ou à persuader un auditeur ou un lecteur par des arguments logiquement organisés.

Autobiographie : récit qu'un auteur fait de sa propre vie à la première personne.

Caricature : portrait excessif tournant en dérision un personnage ou une idée.

Comique (registre) : registre par lequel un auteur vise à provoquer l'amusement ou le rire de son lecteur.

Descriptif (discours) : discours ayant pour but de représenter une scène, un décor, un objet ou un personnage.

Didascalies : indications de mise en scène fournies par un auteur de théâtre. Par exemple « modestement » dans *Une comédie à propos d'une tragédie*.

Ellipse : procédé narratif consistant à omettre une étape essentielle d'un récit (par exemple le chapitre XLVII du *Dernier Jour d'un condamné*).

Exemplaire (récit) : dans le discours argumentatif, récit servant à illustrer concrètement un argument ou une idée.

Hyperbole : figure de rhétorique consistant à employer des expressions exagérées pour frapper l'imagination.

Intimisme : expression de la confidence et de l'expression des sentiments privés.

Ironie : figure de style consistant à dire le contraire de ce que l'on veut faire comprendre au lecteur.

Lyrique (registre) : registre propre à l'expression, souvent poétique, des sentiments intérieurs et des émotions personnelles de celui qui s'exprime.

Métaphore : rapprochement d'éléments possédant des points communs.

Monologue intérieur : texte où un personnage exprime

sa pensée la plus intime, la plus proche de l'inconscient.

Narratif (discours) : discours qui organise de manière chronologique une série d'événements en une narration.

Narrateur : celui qui raconte une histoire et qui peut être selon les cas l'auteur lui-même, un personnage particulier ou une voix indéfinie.

Narration : action de raconter une histoire, et, par extension, contenu de celle-ci.

Noir (roman) : roman policier qui insiste de manière réaliste sur la violence des crimes, la personnalité du criminel et l'atmosphère.

Onirique (registre) : registre correspondant à l'expression des rêves.

Pathétique : procédé littéraire qui vise à provoquer l'émotion par la peinture du malheur ou de la douleur.

Personnification : figure par laquelle une réalité non humaine est représentée sous forme humaine.

Plaidoyer : discours en faveur d'une cause ou d'une personne particulière.

Point de vue : lieu, personnage ou situation depuis laquelle les événements d'un récit sont racontés.

Polémique (registre) : registre qui vise à défendre des valeurs jugées menacées et à critiquer des valeurs opposées, en se souciant constamment de l'implication du destinataire (cible à condamner ou auditoire à convaincre) notamment par l'apostrophe et l'ironie.

Réaliste : ce qui cherche à peindre la réalité, aussi terrible soit-elle, dans tous ses détails.

Registre : manière dont un texte s'adresse à son lecteur.

Satirique (registre) : registre de la moquerie, de l'ironie ou de la caricature.

Sublime : ce qui provoque une admiration absolue par sa noblesse ou sa grandeur.

Suspense : moment d'un récit où le lecteur attend avec impatience ce qui va suivre.

Tragique (registre) : registre qui présente la confrontation désespérée d'un être humain avec des forces qui le dépassent.

Bibliographie et filmographie

Biographies de Hugo

A. Decaux, *Victor Hugo*, Perrin, 1985.
J.-M. Hovassse, *Victor Hugo*, Fayard, 2001-2002 (deux tomes).

Commentaires et études du *Dernier Jour d'un condamné*

V. Hugo, *Le Dernier Jour d'un condamné*, essai et dossier de M. Roman, Gallimard, « Foliothèque », 2000.

La question de la peine de mort

M. Foucault, *Surveiller et punir*, Gallimard, « Tel », 1993.
J. Imbert, *La Peine de mort*, Presses universitaires de France, « Que sais-je », 1989.

Sites internet

http://www.victorhugo.culture.fr/
Portail officiel du ministère de la Culture.

http://www.chronologievictor-hugo.com
Chronologie de Victor Hugo à travers ses écrits.

http://groupugo.div.jussieu.fr/
Site du centre interuniversitaire de recherches sur Victor Hugo (université Paris 7) qui comporte notamment une riche bibliographie.

http://victorhugo.bnf.fr/
Site Hugo de la Bibliothèque nationale de France. Permet d'accéder à l'œuvre en ligne de Victor Hugo et à des documents pédagogiques.

http://www.victorhugo.education.fr/
Site Hugo du ministère de l'Éducation nationale. Nombreux dossiers pédagogiques. On trouvera notamment de nombreuses reproductions des illustrations de l'édition Hetzel.

Films

Le Dernier Jour d'un condamné, film de Michel Andrieu, avec Aymeric Demarigny, Centre régional de documentation pédagogique de Franche-Comté, collection « Lectures à voir », 2002.

Crédits photographiques

Couverture	**Dessin Alain Boyer**
7	Ph. Olivier Ploton © Archives Larousse
11	© Maisons de Victor Hugo / Roger-Viollet
151	© Maisons de Victor Hugo / Roger-Viollet
211	Ph. Trocaz Coll. Archives Larousse
212	Ph. Olivier Ploton © Archives Larousse
218	© Maisons de Victor Hugo / Roger-Viollet
219	© Maisons de Victor Hugo / Roger-Viollet
220	Ph. Coll. Archives Larousse
221	Bibliothèque nationale de France, Paris – Ph. Coll. Archives Larousse

Direction de la collection : CARINE GIRAC-MARINIER

Édition : Marie-Hélène CHRISTENSEN

Lecture-correction : service lecture-correction LAROUSSE

Recherche iconographique : Valérie PERRIN, Agnès CALVO

Direction artistique : Uli MEINDL

Couverture et maquette intérieure : Serge CORTESI, Sophie RIVOIRE, Uli MEINDL

Responsable de fabrication : Marlène DELBEKEN

Photocomposition : CGI
Impression : Rotolito Lombarda (Italie)
Dépôt légal : Août 2008 – 301611
N° Projet : 11014128 – Décembre 2010